絶叫学級

恋人たちの化けの皮 編

いしかわえみ・原作/絵
はのまきみ・著

集英社みらい文庫

もくじ

129時間目

運命の王子様

プロローグ

みなさん、こんにちは。
絶叫学級へようこそ。
私の名前は黄泉。
恐怖の世界の案内人です。
猫のような金色の瞳と、ゆらりとゆれる長い髪が、私の自慢。
腰から下が消えているこの体も、とても気に入っています。
どうです？　一度見たら、忘れられないでしょう？
こういう姿の女の子がみなさんの夢に現れたら、それはきっと私です。
それでは、授業をはじめましょう！
もしもどこかに「運命の人」がいるとしたら。

みなさんは、会いたいと思いますか？
その人が、理想どおりの人で、しかも自分のことを愛してくれたら。
きっと、その人と一生いっしょにいたいと思うはず。
いっしょに楽しくすごす日々は、すばらしいにちがいありません。
なんだかあこがれてしまいますね！
今回のお話は、運命の人に出会えた
ラッキーな少女が主人公。
夢のようなロマンスを、
のぞいてみましょう。

叶夢路には、小さいころからくりかえし見る夢がある。

夢路の理想がつまったような男の子が、毎晩、話しかけてきてくれる夢だ。

彼は、手足がすっきりと長くて、いつもおだやかな笑みを浮かべている。

髪はサラサラ。瞳はキラキラ。王子さまみたい。

そんな男の子が、夢路にやさしく話しかけてくる。


「――――よ」


夢のなかだからか、いつも最後の「よ」しか聞こえないけれど、とても心地よい声。

服装は、その時々でちがう。

夢路が小学生のころは、夢の男の子も同じくらいの年齢で、どこかの私立学校の制服らしい、白いシャツと紺色のひざ丈ズボンを着ていた。

小さい頃から
くり返しみる
夢がある

もしかして

私の運命の相手かもしれない…

見始めてから10年

私服のときもあった。スポーツが得意そうな、あざやかな色あいのTシャツ姿。きちっと優等生らしく着こなしたセーター姿。

どちらもかっこよかった。

中学生になると、男の子は、ちょっぴり大人っぽい雰囲気になった。モノトーンのシャツやシンプルなジーンズを着て、背もすらりとのびた。

「――――よ」

成長して低い声になった彼の言葉も、やっぱりよく聞こえない。

でも、とてもやさしい口調のおかげで、「よ」しか聞こえなくても、夢路の胸はいつだってドキドキする。

(もしかして、私の運命の相手なのかもしれない…………)

彼の夢を見はじめてから十年がたち、夢路は今、十五歳。中学校三年生だ。

(私はすっかり大人になってしまった)

おまけに、同級生の男子から告白されるくらいには、きれいな女の子になった。

少し茶色みのある長い髪に、うるんだまるい瞳。

派手さはないものの、男子のなかには、そんな夢路のファンが多い。

その日も、放課後にとなりのクラスの男子に呼びだされ、「つきあってください」と言われた――――けれど、すぐさまことわってしまった。

「ご、ごめんなさいっ」

(だって…………)

告白をことわったほうなのにしょんぼりして教室に戻ると、幼なじみのタケ子が待っていた。

無言で席に座った夢路に、タケ子がたずねる。

「どうだった？」

「えっと」

「え‼　もしかして、またフッたの⁉」

「う…………うん」

夢路は、ばつが悪くなり、ひざの上においた手をもじもじさせた。

タケ子が腕組みをして、ため息をつく。黒髪ボブのタケ子は、夢路とちがいさっぱりとした性格だ。

「かわいそー。けっこうイケメンなのに」

「でも………」

「一回くらいデートとかして、遊んでからきめても、よくない？」

そう言われても。

夢路は、夢にでてくるあの男の子以外を、好きにはなれない。

「夢路は昔から、理想がはっきりしてるからなー。絵本の王子さまみたいな人がいいって言ってたよね」

はずかしくなって、一瞬、「ゔ」と言いよどむ夢路。

「もーっ。やめてよ、タケちゃん。いつの話⁉　小学生のころの話だよ、それ！」

「どーせ今でもまだ、同じようなこと思ってるんでしょ？」

「ちょっと。そんなに大きい声で言わないでよっ」

まわりにいる子たちが、ふたりのやりとりを見て笑いだした。

「あははは！」

「夢路、ロマンチストすぎる！」

夢路はますますはずかしくなって、顔を赤らめた。

（だめだ。夢のことなんて、死んでも言えないや………）

タケ子の言うとおり、本当は今でも王子さまにあこがれている。

しかも、絵本の王子さまどころか、夢にでてくる妄想の男の子にあこがれているのだ。

あんな理想の男の子、現実にはいるわけがないのに。

（そんなことわかってるよ。でも――――）

「夢路、帰ろ」

夢のなかの男の子のことを考えていた夢路は、我にかえった。

「えっ、うん」

スクールバッグを肩にかけ、タケ子といっしょに校舎をでる。

校庭では、男子サッカー部が練習試合をしていた。

みんなビブスをつけ、汗だくで走っている。この学校のサッカー部は強豪で、部員は女子の間でも人気だ。

（一生懸命だもんね。サッカー部の人たちをかっこいいって思う気持ちは、わかるよ。でも）

校庭をながめながら歩く夢路に、タケ子が言った。

「サッカー部、かっこいいよね！」

「そ、そうだね」

夢路はぼんやりとこたえると、うつむいて考えこんだ。

（学校の男の子には悪いけど、くらべちゃうと、やっぱりぜんぜんちがう…………）

夢のなかの男の子は、もっとやさしそうだし、洗練された雰囲気がある。

でもしょせんは夢にでてくる、妄想の男の子だ。

（本当にいればいいのになぁ）

そう思っていたら、うっかり声にだしていた。

「私をむかえにきてくれないかなぁ…………」

あわててタケ子のほうを見たが、タケ子には聞こえなかったようで、ほっと胸をなでおろす。

（なーんて）

思うだけなら、誰にも迷惑はかけない。

（そのうち、あの男の子みたいな人が、現実にも現れるかもしれないし――）

ふと気づくと、夢路は、ぽかぽかと暖かい場所に立っていた。

あたりはふんわり明るく、雲の上にいるみたいだ。

ふしぎなことに、夢路はお気に入りのパジャマを着ている。

そこではっと気がついた。

（……あ、これ、夢のなかだ）

学校から帰ってきて、いつものように明日の予習をして、食事をして、お風呂に入って、そして眠ったのだった。

前をむくと、はなれたところに、あの男の子が立っている。

（今日も会えた）

男の子は、さわやかな笑顔で、ゆっくりとこちらへ歩いてくる。

今日の彼は、シワひとつない学ランを着ていた。

夢路は思いきって、話しかけてみた。

「ねえ、名前なんていうの？　教えて」

夢のなかなのに、心臓がドキドキと高鳴る。顔が熱くなるのも感じる。

「あなたのこと、もっと知りたいの」

男の子は、夢路にほほえみかけながら言った。

「――――よ」

やっぱり今日も、最後の「よ」しか聞きとれない。

「――――よ」

（………うーん………聞こえない）

夢路は、途方に暮れて、男の子をみつめた。

今まで何度も彼に会ったけれど、学ランを着ている姿は初めてだった。

五つの金色のボタンがぴかぴか光り、襟の左右にバッジがついている。

その校章バッジに、夢路は見覚えがあった。

（あれ？　この制服と校章、どっかで………）

そして、突然思いだし、思わず目をみはる。

「あっ！」

つぎの日の学校帰り。

夢路は夕ケ子をつれて、いつも通る交差点をまがらずに、まっすぐ渡っていった。

寄り道をするつもりなのだ。

「どしたの？　遠まわりしてこうなんて」

夕ケ子がいぶかしげに顔をゆがめる。

「う、うん。ちょっとね………」

「ちょっと？」

「ひとりで行く勇気がなくて」

「どういうこと？」

夕ケ子は戸惑いながらも、ちゃんとついてきてくれる。

とある中学校の近くまで行くと、夢路は夕ケ子を盾にして、うしろにサッとかくれた。

「な、なんでかくれてるの⁉」

「いいから、いいから。しばらくこうしてて」

「はあ？」

わけがわからずきょとんとする夕ケ子のうしろで、夢路はじいっと中学校の校門をみつめた。

学ランを着た男子生徒や、セーラー服姿の女子生徒が、校門から次々とでてくる。みんなおしゃべりをして楽しそうだ。

「ここの中学、うちらの制服とぜんぜんちがうよね」

夕ケ子が言った。

夢路たちの制服はブレザーで、女子は首もとにチェックのリボン、男子はネクタイをつける。

（昨日あの人が着てたのは、たぶんここの制服）

と、そのときだった。

（…………うそ）

見覚えのある男の子が、校門からでてきたのだ。

サラサラの髪。すっきりと長い手足。やさしい目もと。

しばらく釘づけになっていた夢路は、彼の胸もとにネームプレートがついているのをみつけて、息をのんだ。

夢のなかでは、つけていなかったのだ。

3―B　作田真

（名前………作田、真、くん…………っていうんだ…………）

気づけば夢路は、彼のいるほうへ歩きだしていた。

気配に気づいたのか、彼が振りむく。

「「あ………」」

ふたりは同時に、声をあげた。

真も目をまるくして、ひどく動揺しているようだった。

「…………………………」

はっと息をのんだまま、小さく口を開けていた真は、やがて名前を呼んだ。

「夢路…………？」

「うそ…………私の名前」

「知ってるよ」

「ほ…………本当に――――…………」

夢路が「いたんだ」と言う前に、真はかけ寄ってきて。

「夢路！」

ぎゅっと夢路を抱きしめた。

そばにいた夕ケ子が、おどろきのあまり絶句している。

夢路の胸は、幸せではちきれそうだった。

（こ、こんなことって、ある…………？）

自分の妄想だと思っていた男の子が、現実に存在していたのだ。

タケ子は、なんとなく腑に落ちないような顔をしている。

「夢路、大丈夫？　私、先に帰るけど……………」

「大丈夫だよ。また明日」

タケ子がきびすをかえして去っていくが、夢見心地の夢路は、目の前にいる真のことで頭がいっぱいだった。

真に導かれるままにいっしょに歩き、近くの公園まで行く。

そしてふたりならんでベンチに座り、まだ信じられずにみつめあった。

「俺も小さいころから、何度もきみの夢を見てきたんだ」

「ほ、本当に？」

ふたりは夢のなかでつながっていたのだ。

こんなふしぎなことってあるだろうか。

「本当だよ。たとえば――――」

「たとえば？」

「夢路がおねしょしてしょげてた日とか、おつかいたのまれて、牛乳を買い忘れて泣いた日とか」
夢路の顔が、カーッと熱くなった。
「そんな昔のこと………」
はずかしがる夢路の横で、真が楽しそうに笑う。
夢路の顔をのぞきこむやさしいまなざしは、夢とまったくいっしょだ。
「やっとそばで、夢路をはげませる」
ベンチにおいた夢路の手が、ふいに温かくなった。見ると、真が手をにぎっている。
(なんだかなつかしい温かさだな)
夢路も真の手をにぎりかえす。
真とは、家族でも、幼なじみでもない。
(でも、私はこの人と、ずっといっしょに成長してきたんだ)
夢路がほほえむと、真がほほえみかえす。
ふたりはそうして、しばらくベンチに座ったまままみつめあっていた。

つぎの日、夢路は登校すると、早速仲良しグループに報告した。

「あのね、私、彼氏ができたの」

友だちはみんな、おどろいてひっくりかえりそうになる。

「はぁぁ!?」

「彼氏ができた、だと!?」

「うそ!! 今まで告白してきた男、全員フッてきた夢路が!?」

「うそじゃないよ。本当」

キラキラと目を輝かせ、幸せそうにうなずく夢路。

友だちのひとりが聞いた。

「タケ子、本当なの？」

タケ子はためらいがちにかえす。

「………うーん」

夢路は思った。

（道の真ん中でいきなり抱きしめてくるような男の子だから、タケちゃんは心配してるの

かも）

夢路だってじつはあのとき、「ずいぶん大胆な人だったんだな」と、おどろいてしまったくらいだ。

でも、今まで夢でしか会えなかった相手に、やっと現実で会えたのだ。

（感極まっても、ふしぎじゃないよね）

タケ子は心配そうだが、夢路は気にならなかった。

ただただ、幸せでしかたがなかった。


あの日から夢路と真は、待ち合わせをしていっしょに下校するようになった。

手をつないでおしゃべりしながら歩くふたりを、みんなが振りかえる。

夢路はもともと、おとなしくて目立たないタイプの女の子だ。だから、人にじろじろ見られるのが得意ではない。

「今、なんか言われたような………」

まわりの声が気になって表情をくもらせると、真がほほえんだ。

「気にすることないよ。俺たちのことがうらやましいんじゃない？」

「そうかな」

「きっとみんな『見て、あのふたり。美男美女』とかさ、『お似合い〜』とか言ってるんだよ」

女の子の声真似をする真がおもしろくて、夢路は笑ってしまった。

「真くんて、まじめな子かと思ったらすごくおもしろいね！」

「まじめなイメージだったの？」

「うん。生徒会とか入ってそうだなって」

「あははは。入ってないよ」

「そうなの？」

「生徒会も部活もやってないよ。きらいになった？」

「ぜんぜん！　ぜんぜんならないっ！」

夢路は、首を何度も横に振る。

「それに、真くんは美男かもしれないけど、私は美女じゃないってば」

「なに言ってんだよ。夢路は誰よりもかわいいよ？」

「なっ……」

夢路は耳まで真っ赤になって、サッとうつむく。

かっこよくてやさしくておもしろいうえに、そんなことをサラッと言えるなんて。

（ど、どうしよう。私、めちゃくちゃ幸せかも）

すると突然、真が立ちどまった。

「夢路、今日はここのカフェに寄っていこうよ」

「え？」

そこは、夢路が前から行ってみたいと思っていたお店だった。最近オープンしたばかりで、ケーキがとてもおいしいらしい。

「でも、下校途中だし……」

「大丈夫。制服のリボンをはずせばバレないよ」

たしかに、このリボンをはずしてしまえば、どの学校の制服かわからなくなりそうだった。

夢路はドアの前でリボンをはずし、スクールバッグにしまう。

そして、ドキドキしながらカフェに入っていった。

「いらっしゃいませ。あちらのお席にどうぞ」

「は、はい」

(緊張するなぁ……………)

店内にはシンプルな家具と観葉植物がおかれていて、うわさどおりのおしゃれな雰囲気だ。きっと夢路ひとりでは来る勇気がでなかっただろう。

「あ、先にトイレに行ってもいい?」

リボンをはずしたときにブラウスの襟もとがくずれなかったか、鏡でたしかめたかったのだ。

「うん。行ってらっしゃい」

そう言う真に小さく手を振り、夢路はトイレに行った。

鏡の前でブラウスと髪をととのえながら、自分の姿をしみじみとみつめる。

(自分で言うのもなんだけど、前よりかわいくなった気がするな)

リップグロスをぬり、にこっと笑ってみる。

(そう思えるのも、真くんのおかげかも)

きっとそうだ。幸せな気持ちが、表情にもでているのだ。

トイレをでてテーブル席のほうを見ると、真はメニューをひろげ、真剣に見入っている。

テーブルには、お冷やとお手拭きがひとり分しか来ていない。しかし、メニューに夢中の真はちっとも気づいていないようだ。

(なんか、ちっちゃい子みたいでかわいい)

夢路は店員を呼びとめ、席を指さした。

「すみません。あの席に、お水とお手拭きをもうひとつお願いします」

「えっ?　あ、すみませんでした………」

店員は頭をさげ、あわててお冷やとお手拭きを持っていく。

夢路がテーブル席に戻ると、真が「おかえり」とほほえみかけてきた。

(やっぱり、何度見てもすてきな人だなぁ………)

もう何年も見つづけているのに、真に会うと毎回うっとりしてしまう。

「真くん、すごく迷ってるね」

「うん。だって、どれもおいしそうなんだよ」

ちょうどそのとき、店員がやってきた。

「ご注文をどうぞ」

「私まだメニュー見てなかった」

夢路はあわててメニューをのぞきこむ。

真の言うとおり、どのケーキもおいしそうだったけれど、夢路が食べたいケーキはもうきまっていた。

「えっと、私は――――」

「チョコレートケーキでしょ、好きなの」

びっくりして、夢路が顔をあげる。

正解だ。注文しようと考えていたケーキは、チョコレートケーキだった。

「なんでわかったの!?」

パッと顔を輝かせた夢路に、真は得意満面で言った。

「夢路の好きなものは、わかってるよ」

「すごい。エスパーみたい」

ふたりは顔を見あわせて笑う。

すると、注文を待っていた店員が、困ったようにせかす。

「あの…………ご注文は…………」

「あっ、すみません。チョコレートケーキと――――真くんは？」

「俺、コーヒーだけでいいよ」

「そう？　じゃあ、あとコーヒーひとつ」

「……………かしこまりました」

店員が、そそくさとその場をはなれていく。

（私たち、もしかして痛いカップルだと思われた？）

でも、それでもちっともかまわなかった。

（だって、幸せなんだもん）

帰りは、真が家まで送ってくれた。

「真くんの家、こっち方面じゃないのに、いつもごめんね」

「なんであやまるの？　俺が送りたくて送ってるんだから、いいの」

「ありがと……」

いつまでもいっしょにいたかったが、そういうわけにもいかない。

家に着くと、夢路は名残惜しそうに、門の前で手を振った。

「じゃ、またね」

真も手を振ってこたえる。

「また夜ね」

「え？」

(そっか、そうだよね。私たち、夢のなかでも会えるんだもんね)

そう考えれば、それほどさびしくない。

「うん。また夜ね」

ふたりは笑顔で別れた。別れても、数時間後にはまた会える。

（幸せ…………）
夢路は早く眠りたくて、宿題や入浴をさっさとすませ、ベッドに飛びこんだ。

その夜も、夢路は夢のなかで、真に会った。
ぽかぽかと暖かい、ふしぎな場所。
あたりはふんわり明るく、夢路はパジャマを着ている。
真は、昼間と同じ学ラン姿だった。
「真くん、また会えたね」
真はやさしくほほえんでうなずき、こちらに近づいてきた。
そして、夢路を抱き寄せる。
夢路は彼の胸に顔をうずめた。
（昼も夜も、ずっといっしょにいられる）
「――――よ」
真が耳もとでささやいた。

「――――よ」

残念なことに、夢のなかの真は、これしか言葉を発しない。

(ずっと気になってたけど、なんて言ってるんだろう)

いつも「よ」しか聞きとれなかった。

くちびるの動きから読みとれるかもしれないと、真を見あげてみたが、やはりなにもわからなかった。

けれどその表情を見れば、きっと夢路が喜ぶような、やさしい言葉を言っているのだろうと思える。

(もしかして『愛してるよ』……………かな?)

そう思った瞬間に、夢路の顔は真っ赤になった。

(明日会ったら、真くんに聞いてみよう)

しかし、いつも忘れてしまうのだ。

明日こそは覚えていようと強く思っても、昼間に真と会うときには、すっかり記憶から抜けおちてしまうのだった。

それからしばらくたった日曜日。

「もー、パパ！　早くでてよ！」

朝っぱらから夢路は、トイレのドアをドンドンとたたいていた。

いつもトイレの長い父親が、用をたしに入ったきり、なかなかでてきてくれないのだ。

「もうちょっと待ってよ。今流すところだから」

「実況しなくていいから！」

（せっかくの休日デートなのに～!!）

今日は真と、海の近くの公園に行く予定だった。

服は、買ったばかりのジャンパースカートとカットソー。髪はかわいく編みこみのハーフアップにした。

「遅刻しちゃうよー」

トイレのなかからジャーと水を流す音がして、父親が苦笑いしながらでてくる。

「すまんすまん」

「もー。長すぎ！」

「おお？　今日はずいぶん、おめかししてるんだな」

のんびりとそんなことを言う父親を無視して、夢路はトイレに入り、そしてでかける準備をした。

（トイレ待ちして遅刻なんて、サイアク………）

待ち合わせ場所に走って行くと、真はすでに待っていた。

Tシャツにジャケットを合わせた姿が、とても大人っぽい。

「真くん、ごめん〜」

ハァハァと息をきらしてあやまる。

「あのね、今朝―――」

と言いかけた夢路を、真がさえぎった。

「お父さんが、トイレ占領してたんだろ？　いいよいいよ」

「え？」

夢路はぽかんと口を開けた。

「お父さん、おなかの具合が悪かったのかな」

「う、うん………そうなの、かな」

あっけにとられたまま、真を見る。

(よくわかったなあ)

知れば知るほど、真はふしぎな男の子だ。

(これってやっぱり、運命の相手だから？)

そう思うと、興奮して顔がほてってくる。

(たしかに、そう思える出来事が、今までたくさんあった………)

夢路の名前を知っていたし、好きなケーキのことも知っていた。

なにせ十年も前からずっと、夢のなかで会ってきた人なのだ。

(運命の相手だから、いろいろわかっちゃうのかな？)

でも、父親のトイレのことを知られたのは、きまりが悪かった。

(知られすぎても、ちょっと困るかも)

「どうしたの、夢路？」

「な、なんでもな――――」

と、赤くなった顔を手で覆おうとして左手をあげた瞬間、人さし指の先に痛みが走った。

「痛っ…………」

爪の先が少し欠けている。

（走っている間に、爪、どっかにぶつけちゃったんだ）

すると、真が欠けた爪をじっとみつめて言う。

「あーあ、爪、一・四センチもあったのに」

夢路はどきりとした。

人さし指の爪の長さが一・四センチだったなんて、夢路本人も知らなかったことだ。

「…………え？」

思わず見あげると、真はにこやかにほほえんでいる。

「なにふしぎそうな顔してるの？」

「だって、私の爪の長さを…………」

「夢路の体のことくらい、ぜんぶ知ってるよ」

（それってどういう意味？）

そう思ったものの、聞けなかった。

なんだか急におそろしくなってしまったのだ。

翌日、登校したものの、夢路は朝からずっとふさぎこんでいた。

なにをやってもぼんやりしてしまい、授業もろくに頭に入ってこない。

やがて放課後になり、みんなが帰りじたくをはじめた。ざわつく教室のなかで、夢路は席に座ったまま、ぼうっと考えこむ。

（どうしてこんな気持ちになっちゃったんだろう）

そんな様子に気づいたのか、タケ子が近づいてきた。

「夢路ー。今日も例の彼氏と帰るの？」

夢路は、思いきって幼なじみに話を聞いてもらうことにした。

「あのね、タケちゃん。相談したいことがあるんだけど」

「なに？」

「運命の相手が、なんて言うか…………ちょっと怖いなって思ったら、どうする？」

「は？」

タケ子がぽかんとしている。

夢路が言いよどんでいると、タケ子は前の席の椅子をひいて座り、夢路をまっすぐに見すえた。

「怖いって思うやつなんて、そもそも運命の相手じゃないんじゃない？」

「えっ？」

タケ子は、頬づえをついて、少し首をかしげる。

「よくわかんないけどさ、運命ってのは、むこうから来るんじゃなくて、自分から作っていくもんじゃないの？」

（自分から作っていくもの…………）

目が覚めるようだった。タケ子の言うとおりだ。

待っていれば運命の人に出会えるというものじゃない。

（真くんはやさしいし、かっこいいし、運命の王子さまだと最初は思ったけど）

でも、無理にそう思う必要はない。

違和感があったり、いやだと思ったりしたら、そのときは相手に気持ちを伝えていいのだ。

夢路の心は、ようやくおちついた。

「うん、そっか。ありがとう、タケちゃん」

「元気になった？」

「なったよ。それじゃ、また明日ね！」

「じゃね！」

タケ子に手を振り、夢路は明るい表情で教室をでていった。


夢路がでていった教室で、タケ子は窓の外をじっと見おろしていた。

正面玄関からでてきた夢路が、軽い足どりで、校門のほうへ歩いていっている。

すると、クラスメイトの女子ふたりが、タケ子のとなりにやってきた。

「うちら、タケ子が夢路と話してるの、聞いてたんだけどさ」

「めずらしーよね！　夢路が自分の恋バナするなんて」

「うん……」

と、タケ子は心配そうに口を開く。

「あの子、昔から絵本の王子が大好きでさ。小学生のころなんて、枕の下に絵本入れて、眠ってたんだよ。『夢で会うの』って言ってさ」

「え～！　ロマンチストじゃん！」

「かわいいな、夢路！」

けれど、タケ子は浮かない顔をしている。

「でもそのロマンチストぶり……どんどんひどくなってる気がするんだ」

「どういうこと？」

タケ子は、ふうと息をついた。

「この前、あの子が彼氏に会いに行ったとき、私もついていったんだけど」

夢路につれられて、近くの中学校まで行った日のことだ。

「あの子、ひとりで話してた……」

そう、タケ子には、夢路の姿しか見えなかったのだ。

夢路は、誰もいない虚空にむかって、ひとりでしゃべっていた。

いったい誰と会話しているつもりだったのだろう――。


夢路が校門をでると、聞きなれた声がした。

「友だちとのおしゃべり、楽しかった？」

ビクッと体を震わせる。

おそるおそる振りむくと、学ラン姿の真が歩道に立っていた。

「真くん………」

ごくりとつばをのむ夢路。

真はやさしいほほえみを浮かべている。その笑顔が、今はおそろしかった。

「運命なんて作らなくても、俺たちの間にすでにあるんだから」

それは、さっきの夕ケ子との会話そのものだった。

まるで、ふたりの話を盗み聞きしたように。

「友だちの言うことなんて、聞かなくていいんだよ」

背筋がぞっとした。夢路のひたいを、冷たい汗が流れる。
（この人には、ぜんぶ知られてる………）
なぜ？　どうして？
運命の相手だからだろうか？
（ううん、そもそも怖いと思うなんて、運命の相手じゃない）
この人は、どこかおかしい。
ふつうじゃない！
夢路は一歩、また一歩とゆっくりあとずさると、一目散に走りだした。
「夢路！　俺から逃げるの!?」
背後から、真の明るい声が聞こえてくる。
きっと、いつもの笑顔のまま言っているのだろう。
「また夜に会いに行くよ！」
（いや。怖い………！）
夢路は震えながら、真の声を振りきるように走った。

「かならずね！」

家にたどり着くとすぐに鍵をかけ、母親のいるキッチンに行った。

「あら。いつもすぐに自分の部屋に行っちゃうのに、めずらしいわね」

「うん……」

ひとりでいるのは不安だ。ベッドに入るまでは、なるべく家族のいる部屋で、誰かといっしょにすごそうときめた。

けれど、時間は刻々とすぎていく。

夜遅くまでリビングでテレビを見ていた夢路は、とうとう母親にしかられてしまった。

「早く寝なさいよ。明日も学校でしょ？」

しかたなく夢路は、重い足どりで部屋に入る。

明かりをつけっぱなしにしてベッドに座り、眠らないようにスマートフォンをながめたり、雑誌を読んだりしたが――次第に眠気がおそってきた。

「眠っちゃだめ。あの人が来る」

しかしうとうとしてきて、自然とまぶたが閉じてしまう。

やがてガクンと頭がゆれ、夢路はあわてて目を開いた。

（だめ!!　眠っちゃ……眠ったら……）

ふいに、すぐ近くに気配を感じた。

はっと顔をあげた瞬間、息がとまった。

「……え？」

そこにいたのは、学ラン姿の真。

夢路は青ざめ、ベッドの上をずりずりと這うようにあとずさった。

「な……なんで？」

玄関も、窓も、部屋のドアも鍵をかけたのに。

「どうやってなかに……」

真はまっすぐに立ったまま、こたえない。

「――よ」

そう言って、やさしく笑った。

「――よ」

(そうか、これは夢!?)

これはきっと、いつもの夢だ。真は夢のなかでいつも、「よ」しか聞きとれない言葉を言っていたから……これは夢にちがいない。

(ということは、私、眠っちゃったの!?)

真がじわじわと迫ってくる。

「――よ」

左手をすうっと夢路のほうへ差しだし、まるで「こっちへおいで」と誘っているようだ。

初めて会ったときと変わらない、温かなほほえみを浮かべて。

その顔を見ていると、怖がっている自分のほうが悪いような気分になった。

自分がわがままを言っているだけのような気持ちになってしまう。

(真くんはなにも変わってないのに、ごめん)

夢路は、正直な思いを真にぶつけようと、心をきめた。

「ごめんなさい……私……真くんにずっと会いたくて」

きっとわかってもらえるはずだ。

この人は、とてもやさしい人だから。

小さなころからずっと見てきたのだから。

「会えてうれしくて、舞いあがってたけど……私たち、本当はおたがいをほとんど知らないのに」

夢路はベッドの上に正座をし、頭をさげた。

「運命の相手だなんて言って、ごめんなさい」

涙があふれて、掛けぶとんの上にぽたぽたと落ちた。

「最初に戻りたいです……」

さびしそうな表情で夢路の謝罪を聞いていた真は、ふたたびおだやかにほほえんだ。

「――よ」

夢路ははっとして顔をあげた。

(こんなひどい拒み方をした私に、まだ『愛してるよ』って言ってくれるの?)

「真くん、ごめんね……」

「――――いよ」

(あれ?)

今までより、言葉がよく聞きとれる。

(あれ……ちがう………?)

真が言っている言葉は『愛してるよ』ではないようだ。

夢路は耳をすました。

「――――ないよ」

だんだんと「よ」以外の声もはっきり聞こえだす。

「真くん? なんて言ってる――――」

「逃がさないよ」

夢路は目を見開き、息をのんだ。

真は目を細め、愛おしそうにほほえんでいる。

「逃がさないよ」

ずっと、そう言っていたのだ。

白いシャツを着てひざ丈のズボンをはいた、小学生だったころも。

カラフルなTシャツを着た、活発そうな男の子だったときも。

学ランを着た中学生になってからも。

「逃がさないよ」

「あ………」

夢路は口をぱくぱくとさせ、ベッドの上で腰を抜かしてしまった。

『夢路、俺たちはずっといっしょにいるんだ――』

真の声は、どこからともなく聞こえてくる。

『運命なんだよ』

いや、声は夢路の頭のなかに、直接入りこんできているようだ。

『今までと同じように、いっしょに歳をとって、成長していこう』

「た、助けてっ！」

転がり落ちるようにしてベッドから飛びおり、部屋のドアを開けようとするが、いくらドアノブをまわしても開かなかった。

「なんで開かないの!?」

今度はドアをドンドンとたたく。しかし、父親と母親が起きてくる様子はなかった。

「助けて！　誰か！」

『――――おじいちゃんと、おばあちゃんになるまで』

振りかえると、もうすぐうしろに、笑顔の真が立っていた。

真が大きく両腕をひろげた。まるで夢路を抱きしめようとするように。

『死ぬまで……………』

（誰か……………誰か……………）

ドアをたたく夢路の手に、だんだん力が入らなくなっていく。

それとともに、手が、腕が、体が、次第にやせ細り、しわだらけになっていった。

（助けて――――）

朝になった。

いつもの起床時間になっても、夢路の部屋のカーテンは閉まったまま。外は太陽がのぼり、チュンチュンとすずめの鳴き声が聞こえている。

階段の下から、母親の呼ぶ声がする。

「夢路ー。朝ごはん、できたわよー」

まだ眠っているのだろうか、夢路の返事はない。

「起きなさーい。夢路ー」

母親は「まったくもう」とつぶやくと、あきらめてキッチンに戻っていく。

夢路はベッドに横たわっていた。

その姿は、老婆そのものだった。

顔も腕も足も………どこもかしこもしわだらけで、枯れ木のように骨ばっている。

枕にひろがる長い髪はつやを失い、ばさばさと広がっていた。

横たわった夢路は、ぴくりとも動かない。

まるで眠るように――――息絶えていた。

夢路──

エピローグ

百二十九時間目の授業は、ここまでです。
少女の「運命の人」の姿は、少女以外の誰にも見えませんでした。
幼なじみにも。
カフェの店員にも。
見えているのは、少女だけ。
彼はいったい何者だったのでしょうね。
もしかしたら、少女が作りだした妄想だったのかもしれません。
王子さまにあこがれるうちに、自分だけの王子さまを作りだしてしまったのかも。
今ごろふたりは、幸せな日々をすごしているのではないでしょうか。
ふたりで勉強をしたり、デートにでかけたり。

ゆくゆくは、ふたりで結婚式をあげて。
そして彼の願いどおり、幸せな老後をむかえるのでしょう。
ただしそれは「夢のなかで」です。
みなさんも、楽しい夢には気をつけてくださいね。
ほどほどにしないと、現実になってしまうかもしれませんから。

130時間目

オリの恋人

プロローグ

みなさん、チャイムはもう鳴りましたよ。

さあ、恐怖の授業をはじめます。

みなさんのまわりには「お似合いのカップル」はいますか？

たとえば、美男美女カップル。

スポーツが得意な人同士のカップル。

お笑いコンビみたいなおもしろカップル。

よくケンカをするけれど、じつはすごく信頼しあっているカップル。

学年の成績の一番と二番がつきあえば、「秀才カップル」なんて、みんなに言われるかも。

でも、お似合いの相手に、かならず出会えるとはかぎりません。

なかには、理想の相手がみつかるまで、手あたりしだいにデートをくりかえす人もいるようです。

今回のお話に登場する少女のようにね。

果たして少女は、自分にふさわしい男性をみつけられるでしょうか。

彼女にぴったりのお相手が現れるといいのですが……。

一年A組のすぐ外のろうかでは、月曜日になるとよくケンカが起きる。

その日も放課後に、男子ふたりが言いあらそいをしていた。

「なんなんだよ、おまえは！」

「おまえこそ！」

ふたりの間に立ち、大きな目をウルウルさせているのは、A組の早乙女ちか。

十六歳、高校一年生。

学年のなかで、一番目立つ女の子だった。

「ちかちゃん、どういうこと⁉」

一年B組の茶髪男子が、もうひとりの男子を指さして怒鳴った。

「昨日、コイツと動物園行ったって。俺たち、つきあってたんじゃなかったの？」

すると、指を差されたほうの短髪男子が、チッと舌打ちする。

「おまえ、なに言ってんの。ちかは俺とつきあってんの」

短髪男子が、茶髪男子をにらむ。

「それになー、コイツとか言ってんじゃねえよ。俺、先輩よ？　わかってんの？」

「はぁ!?」

今にもつかみかかりそうないきおいのふたりを、ちかは、うるんだ目でながめていた。

ゆるっとカールした髪。さがりまゆ。ぷっくりした涙袋。

セーターの袖は、指にかかるくらい長くひっぱった〝萌え袖〟にして、その手を頬にあてている。

どこからどう見ても、〝男の子が好きになりそうな女の子〟だった。

「そんな……」

と、ちかは甘えるような声で言った。

「みんなと仲良くしたいだけなのに……」

涙を浮かべたちかを見て、言いあらそっていた男子たちが、ぐっとつばをのむ。

そして大あわてで、ちかをなぐさめはじめた。

「ちかちゃん、泣かないでっ！」

「そ、そうだよ！　俺たち仲良くするからさ！」

顔をおおってしくしく泣きながら、ちかがささやく。

「じゃあ、もう、ケンカしない？」

男子たちは、うんうんと大きくうなずいた。

「しないしない！　ケンカしないよ！」と茶髪男子。

「ちかは、みんなにやさしいだけだもんな！」と短髪男子。

いつの間にか、ふたりはちかの思うがままに動いている。

こうしてちかは、たくさんの男子たちをもてあそんできたのだった。

月曜日に一年A組の外のろうかでケンカが起きるのは、ちかが週末にいろいろな男子と
デートに行くからだ。

そんな三人の様子を見ていた女子たちが、いらだたしげに言い捨てる。

「早乙女さんって、なんつーか、ずるいよね」

「かわいけりゃいいんか、男子ってやつは」

その声がちかにも聞こえたが、まるで相手にしていない。

（ずるい？　かわいけりゃいい？　いいにきまってるじゃん。それに、私は努力してかわいくしてるんだけど？）

たしかに、ちかはとてもかわいい。

そのかわいさを、自分でよくわかっていたし、女子たちに悪口を言われても、ちっとも気にしていなかった。

ちかは、茶髪男子と短髪男子に笑いかける。

「じゃあ、友だちが待ってるから、私は帰るね。また遊ぼうね」

そう言うと、男子たちをろうかに残して、玄関のほうへと歩いていった。

靴箱のあたりへ着くころには、涙は消え、けろっとした顔をしている。

そして、待っていたクラスメイトのメグに手を振った。

「おまたせー」

メグが、やれやれと首を振り、靴箱からローファーをだした。

「あんた、そのうち男に刺されるよ」

「えー、なんで？　むこうが勝手に好きになってくるだけだもん」

ちかは、さっさと靴を履きかえ、外へ歩いていく。

「あんたね………」

「しかたないじゃん」

と、ちかは振りかえった。

「男ってのは、いい女を求めるの。それが動物の本能ってもんでしょ？」

そう言って、グロスでつやつやにしたくちびるに人さし指でふれ、ふふっと笑う。

もちろん爪は、きれいにととのえて、ジェルネイルで輝かせてある。

耳には小粒ダイヤのピアス。誰かからのプレゼントだったが、誰からもらったものか、もう覚えていなかった。

ブラウスのボタンは、肌見せ効果をねらって、上からふたつめまではずしている。

色白の肌をこれでもかと強調する、セクシーアピールも万全だ。

「私はそういう、いい女を目指してるの」

「あんたさ、そんなに首もとだしてて、寒くないの？」

「ぶはっ！　もー、メグ、なに言っちゃってんのよ」

ちかはわざとらしく、髪をかきあげる。

「寒さとか気にして、オシャレができると思う？」

「はぁ。そういうもんかねえ」

メグがあきれてつぶやいた。

「なぜ私はこいつと友だちをやってるんだ………」

「そんなこと知らな～い」

ちかは、くすりと笑う。

友だちにどう思われようと、まったく気にならない。

それよりも、ちかにとって大事なのは、〝いかにいい男とめぐりあうか〟だ。

(男の人は寄ってくるけど、いい男には、なかなかめぐりあえない)

ちかは、玄関前の階段をおりながら、スマートフォンの写真フォルダを開いた。

「歩きスマホやめな。転ぶよ」

「いーの、いーの」

メグが注意してもかまわず、昨日遊びに行った動物園の画像を見はじめた。

B組の茶髪男子は気づいていないが、動物園に行ったのは、二年生の短髪男子だけではなかった。ほかにも何人か、ちかを崇める男たちがついてきたのだ。

スワイプすると、「ふれあいコーナー」と書かれた看板の前で、黒毛のブタを抱いて撮った写真がでてきた。

(わあ、私、ブタなんか抱っこしてる。ウケるー)

写真のなかで、ちかは短髪男子に寄りそって、かわいく笑っている。

ふたりの間にいる黒毛のブタも、なぜかカメラ目線だ。

(この写真、まじウケる)

スワイプしてほかの写真を見る。

ちかと、ちかのとりまき男子は、ウサギやモルモットなどを胸に抱き、みんなとても楽しそうにしている。

(私ホントは、動物なんて、ぜんぜん好きじゃないんだけどね)

写真には、はしゃぐ彼らを振りかえって見ている人たちも写っていた。ちかの一行は、動物園のなかでとても目立っていたようだ。

（やっぱり私がかわいいからかな）

そのなかに、一枚、太った体型の地味な男子が、ちかのうしろ姿を、ほほえましそうにみつめている写真があった。

しめったような黒い髪、くすんだ肌。

背も高いので、全体的に体が大きく見える。

（あ、この人………）

中学生のころ、ちかのことが好きだとうわさのあった男子だ。

さすがに告白する勇気はなかったようで、いつも遠くから、ちかのことを見ているだけだった。

「まじ？　なんでこの人も来てるわけ!?」

写真に写っている彼は、誰かにプレゼントでもするのか、花束を持っている。

「へっ」

男の人は
寄ってくるけれど
ふれあい
コーナー
良い男には
なかなか
めぐり合えない
スッ
スッ
へっ
……
こんなブタ
なんて問題外
並んで歩くのも
嫌…

ちかは鼻で笑った。

（こんなブタなんて問題外。ならんで歩くのもいや…………）

「ちか、なにひとりごと言ってんの」

「だってさー。見てよ、この写真――――」

そんなことを話しながら、ちかとメグが、ちょうど校門に差しかかったときだった。

前を歩いていた女子生徒たちが、こそこそと話すのが聞こえてきた。

「ねぇ、あの人誰だろ？」

「めっちゃイケメン！　モデルみたいじゃない？」

「あの人かっこいいね。誰かを待ってるのかな」

「うわ、イケメンがこっち見た！」

ちかが顔をあげると、校門の外から、男がこちらにむかってつかつか歩いてくる。

（ん？　誰かのお兄さんかな？）

男はとても目立っていた。

まず、手に持っている赤いバラの花束が人目をひく。

それから、服装もめかしこんでいた。高級そうな黒いジャケットとパンツ、ピンストライプのワイシャツだ。

背は高く、セレブっぽくほんのり日焼けした健康的な肌。

黒目がちの目もとが色っぽくて、やさしげ。どこからどう見てもイケメンだった。

男はまっすぐにちかのもとへ歩いてくると、おちついた声で言った。

「早乙女………ちかさん？」

「はい」

突然名前を呼ばれたちかは、反射的に返事をしてしまった。

しかし、会ったこともない人だ。

（誰、この人）

男はにっこりと笑い、ちかにバラの花束を差しだした。

「俺と、結婚を前提につきあってください」

それを聞いた生徒たちが、一気にどよめいた。

「えーっ!?」

「なになに？　公開プロポーズ？」

「今の聞いた⁉　結婚を前提に、だって！」

口々にそんなことを言いながら、目をまるくしている。

一番おどろいているのは、ちかだ。

(結婚前提⁉)

思わずかたまってしまったちかに、男は屈託のない笑顔をむける。

「俺は、黒崎創。きみと同じ十六歳だよ」

十六歳にしては、ずいぶん大人っぽい。

(え、なに？　なんかあやしい)

さすがのちかも、警戒した。

今まで一度も会ったことのない男が、ちかの名前を知っていて、しかも「結婚を前提に」などと告白してきたのだ。

(………………でも、まあたしかにイケメンかも。名前、創っていうんだ)

ちかは、まじまじと創の姿をみつめた。足の先から頭のてっぺんまで。

スタイルは申し分ない。

声も甘くていいかんじ。

服装も——もしかしたらお金持ちのセレブかもしれない。

(うちの学校の男子とくらべてもかっこいいし、私の知ってるなかじゃダントツ?)

ちかはくちびるの両はしをきゅっとあげ、笑いかけた。

「とりあえず、いっしょに帰らない?」

「本当? うれしいよ、ちか」

(は!? いきなり呼び捨て!? ………って、そういえば、メグのこと忘れてた)

振りかえると、メグは、ぐぎぎと頬をひきつらせている。

「あんた今、完全に私のこと忘れてたでしょ」

「あ、ごめんごめん。私、今日はこの人と帰るね」

すると、メグは追い払うように手を振った。

「あーもう、わかったわかった。そんじゃ、明日ね」

メグがあきれ果てて帰っていったあと、ちかはくるっと創にむきなおり、ほほえんだ。

「創くん……だっけ。行こっか」

「ああ。少し遠まわりしない？」

「え？　いいけど……」

「一秒でも長く、ちかといっしょにいたいんだ」

創にみつめられ、ちかの顔はみるみる赤くなった。

(ちょ……なに言ってんの⁉)

心臓がバクバクする。

(私としたことが、みつめられて赤面するなんて……)

今までにない経験に、ちかは戸惑ってしまった。

きっと創のミステリアスな雰囲気のせいだろう。


ふたりがならんで歩くと、通りすぎる人みんなが注目し、振りかえる。

「わ、美男美女」

「芸能人かな」

ちやほやされるのが好きなちかは、まんざらでもない気分だ。

（みんなが私たちを見てる）

まるでお姫さまにでもなったみたいだ。

「創くんは、どこの高校行ってるの？　家はどこらへん？」

「この近くだよ」

「ふーん」

すまし顔で返事をしたものの、心のなかではあれこれ考えをめぐらせていた。

（この近くの高校って言ったら……あの集英学院⁉）

幼稚園から大学院まである超名門校だ。

通っている生徒の家庭はたいていお金持ちだし、偏差値も全国で五本の指に入るくらいに高い。

（まさかのエリート！）

つまり、そんな人が結婚したいと言いだすくらい、ちかがいい女ということだ。

ちかは、となりを歩く創の顔を、ちらりと見あげた。

（でもね、男もいい女を求めてるけど、女だっていい男を求めてるんだよ）

イケメンでエリートだからといって、いい男とはかぎらない。

（………あんたはいい男なの？）

そんなことを考えていたときだった。

「ちか」

突然、ちかの腕を、誰かがグッとつかんで乱暴にひっぱった。

よろけそうになって振りかえると、耳にピアスをした金髪の男が、ちかの腕をつかんだままニヤニヤ笑っている。

「俺、あいつと別れてきたんだ」

「え？」

「彼女と別れてきたんだよ」

（誰だっけ、この人………？）

きっと最近いっしょに遊んだ、別の高校の男子なのだろう。でも、名前どころか顔も覚えていない。

「おまえのために、別れたんだぜ？」

「ちょっと待って。なんの話かさっぱり――」

「とぼけんなって。彼女と別れたら、俺とつきあうって言っただろ？」

金髪ピアス男が怒鳴り、ちかの腕をギリリとねじりあげる。

「あれはうそだったのかよ！」

「いっ……痛い！」

と、つぎの瞬間、男の手を、創の手がつかんでとめる。

男はようやくそこで、創がいることに気づいたらしく、顔をむけてにらんだ。

「は？　なに、おまえ」

「ちかの恋人」

創がおっとりとこたえた。

ひるんでいないどころか、ほほえみまで浮かべている。

その態度に、男はますます怒りをつのらせた。

「……はぁ!?　笑えねーぞ、おまえ！」

創の胸ぐらをつかみ、男がこぶしを振りあげる。

（や、やめて！）

男のパンチが、創の鼻先に打ちこまれる瞬間、ちかは見ていられずに、両手で目をおおってしまった。

ゴッ！　と、かたいこぶしがあたる音。

（創くん、なぐられちゃった！）

「……………う」

うめき声が聞こえて、おそるおそる両手をはずすと、地面にひざをついていたのは、金髪ピアス男のほうだった。

男は、赤く腫れた手をおさえ、叫びだす。

「うわぁぁぁ――――っ！　手がっ……………」

「きみじゃぜんぜんダメだよ」

創が言った。声が甘いぶん、逆にすごみがある。

傷ひとつない創は、パンツのポケットに手をつっこみ、余裕の表情で金髪ピアス男を見

おろしている。

「女は、より強くていい男を求めてるんだから、きみではダメ」

ちかは、あんぐりと口を開けた。

目の前の景色が、ぱっと開けたような気分だ。

(す、すごい。エリートなうえに、強いなんて)

創が振りかえり、やさしく目を細めた。

「行こうか、ちか」

さっきのすごみのある雰囲気とは打って変わって、無邪気な笑顔だ。

あまりの変わりぶりに、ちかは一瞬おどろいて、返事をするのを忘れてしまった。

(なにこの人。得体が知れない………)

しかし、すぐに考えなおす。

「うん、行こう」

イケメンでエリート、しかもケンカまで強い。

ちかは今まで、こんな男に出会ったことがなかった。

（この人、ほかの男とちがうかも）

創は、ほかの男よりダンゼンいい。


「ちかー。今日もあいつと帰るのー？」

放課後、ちかが席で帰り支度をしているところへ、メグがやってきた。

「うん、まあね。メグは？」

「委員会。だるいわー」

メグは保健委員の当番で、保健室の整理をするのだそうだ。

「それにしても、めずらしいね、ちかが一週間も、同じ男といっしょにいるなんて」

言われてみればそうかもしれない。

今までは、欠点が見えたり、物たりなくなったりして、すぐに見きりをつけていた。

けれど創は、今のところ、ひとつも欠点がないし、むしろ会うたびにひかれていく。

メグが、ニヤつきながら言った。

「もしかして好きになった？」

図星だったので、ぎくりとした。

でも、ここで素直に認めてしまうのは、しゃくにさわる。

「……まぁ、今までの男よりかはね」

(ちょっとふしぎだけど、もう少し知りたいなって)

そう思ううちに、あっという間に一週間がすぎたのだった。

「それって好きってことじゃん？　ほんっと、素直じゃないなー」

メグが口をへの字にして、ちかの肩をつっつく。

「はぁ？　ま、まだ好きってわけじゃないし！」

「ふーん。まあいいわ。じゃ、保健室行ってくる」

「うん。じゃね」


校舎をでると、ちかのまわりに数人の男子が集まってきた。いつものことだ。

「ちかちゃん、映画のチケットあるよ。今週末、いっしょに行かない？」

(ええと、この人誰だっけ？　ああ、バレー部の人か)

「渋谷行こうぜ。なにか買ってやるよ」

（この人とデートしたことあったかな？　忘れちゃった）

「ねえねえ、これからカラオケ行こーよ！」

（そんなひまじゃないってば）

どの男の誘いにも興味がわかず、ちかはむすっと不機嫌な顔になった。

「映画、渋谷、カラオケか………どうしようかなぁ………」

てきとうな返事をして歩く。

すると、男子たちは勝手にケンカをはじめてしまった。

「俺が先に声をかけたんだぞ！」

「ふざけんな、俺のほうが先だろ？」

「おまえら必死すぎなんだよ。ねえ、ちかちゃん？」

（なんか、この人たち、つまんないなぁ………）

ちかは、心の底から嫌気がさしてしまった。

徹底的に無視をきめこみ、早足ですたすた歩いていく。

そして、体育館の横に差しかかったとき、突然、体育倉庫のドアが開いた。

「え？」

なかからつきだされた手につかまれ、ぐいっと倉庫にひっぱりこまれる。

「なっ………!!」

誰かに体をすっぽりと抱きとめられ、おどろいて見あげると。

「創!?」

創はパタンとドアを閉め、「静かに」とくちびるの前に人さし指を立てた。

「創、なんでこんなところに………」

「ちかに会いたくて」

黒目がちな目でみつめられ、ちかの心臓はドクンとはねた。

ドアの外からは、ちかを呼ぶ男子たちの声が聞こえてくる。

「ちかちゃーん」

「ちかー」

「どこ行ったのー？」

ちかはあせって、ドアの窓から外をのぞいた。

「やば、さがしてる。創、バレたら大変だよ。他校の人がこんなところにいたら――」

言いおわらないうちに、ちかの体は、うしろからぎゅっと抱きしめられた。

(え!? な、なに……)

創が、ちかの耳もとにくちびるを近づけ、甘い声でささやく。

「ほかの男のことなんて見ないでよ」

(え、待ってまってまって!)

ドクンドクンドクンと、ちかの心臓は、うるさいくらいに高鳴りはじめた。

(バックハグなんて、こんなの、ほかの男にもよくされるのに……心臓が……)

「俺もここがいいな。同じ学校に通いたい」

ダイヤのピアスをつけたちかの耳に、創の熱い息がかかる。

「俺がこの学校にいられたら、ほかの男に近づけさせないのに……」

しかし、つぎの瞬間だった。

ガリッ。

ちかの耳に激しい痛みが走った。

「いっ…………！」

なにが起きたのかわからず、とっさに耳を押さえて振りかえる。

創は口に手をあて、ぼうぜんとした顔で言った。

「……………あ。ご、ごめん」

「……………なに、今の」

「ごめんね、ちか…………俺…………………」

「まさか、かんだの…………？」

その、まさかだった。

創は、ちかの耳にかみついたのだ。


保健室に行くと、ちょうどメグがひとりで棚の整理をしているところだった。

メグは、まるでどろぼうでも見るようにまゆ根を寄せた。

「あんたたち、なにしてんの？　あやしすぎ！」

「ちょっとメグ、声が大きいって」

「校内デートでもしてるわけ？」

「ま、まあそんなとこかな。ははは………」

勘のいいメグは、耳の傷を見て、それがかみ跡だということに気づいたようだ。

「ふーん……。とりあえず、手当てはしてあげるけどさ」

そう言うと、てきぱきと手際よく耳を消毒し、テープでガーゼをとめる。

その間、創は申し訳なさそうに、その場に立ちつくしていた。

「ほら、あんたも座れば？」

メグが用意したパイプ椅子に、創は静かに座る。心から反省しているようだ。

「じゃ、私、行くから」

「ありがとう、メグ」

「先生にみつからないようにね〜」

メグはからかうようにニヤッと笑うと、仕切りのカーテンを閉め、保健室をでていった。

カーテンの内側で、ふたりはむかいあって座り、しばらくだまっていた。

気まずい空気が流れる。

先に口を開いたのは、創だった。

「本当にごめん」

ぺこりと頭をさげ、うつむいて話しはじめる。

「子どものころからのクセなんだ。いやな気持ちになったり、イライラしたりすると、我慢できなくて」

ちかは、あぜんとした。

(イライラすると人をかむって、どんな家で育ったんだよ………)

でもよく考えてみれば。

(そういえば私、創のこと、あまり知らない)

この近くに住んでいるとは聞いたけれど、詳しい家の場所は知らない。

どんな家族がいて、どんなふうに育ったのか。

学校ではどんな部活をしているのか。

得意教科のこと、好きな食べ物のこと、好きな音楽のこと。

以前はどんな女の子とつきあっていたのか。

そういうことを、なにひとつ知らない。

（それに、どうして…………）

「どうして、創は私とつきあいたいの？」

ちかがもっとも聞きたいのは、そのことだ。

（ほかの男の人は、私の外見が好きとか言うけど、創は？）

すると創は、どこか遠くを見て、ぽつりぽつりと話しだした。

「…………この間の日曜日、ちかが動物園に来てたとき、じつは俺もいたんだ」

「えっ！」

おどろいて、ちかは大きく瞬きをする。

「きみは、俺なんかに目もくれなかったけど」

創がさびしそうに笑った。

「俺はずっと見てたよ。ちかのことを」

「うそ…………でしょ…………」

あの日、動物園のどこに、創はいたのだろう。

ちかを見ていたということは、近くにいたはずだ。

もしかしたら写真に写りこんでいる、誰かかもしれなかった。

「ちかは、男がたくさん群がっていても、いつも物たりなそうで。いつもなにかを求めているようで………」

動物園には、とりまきの男子数人もいっしょに行った。

でも、ちかは少しも楽しくなかった。

小動物といっしょに写真を撮ってはしゃいだけれど、あれはぜんぶ演技だ。

「俺だったら、ちかを満たしてやれるのにって——気づいたら、きみに夢中だった」

創は言葉をきり、ちかをみつめる。

黒目がちでつぶらな瞳。みつめられると、すいこまれそうだ。

ふいに椅子から立ちあがった創が、ちかの前で床に片ひざをつき、手を差しだす。

まるで、お姫さまに忠誠を誓う騎士のように。

「一生かけて、きみを愛する。だから結婚を前提に、つきあってください」

情熱的な告白をされ、ちかは息がとまりそうだった。

(もしかしたら、私が求めてたのは、創かもしれない……………)

創をまっすぐにみつめかえしてこたえる。

「はい」

そして、健康的に日に焼けた創の手に、自分の白い手をのせた。

「今日はもう帰ろう」

「うん」


ふたりは手をつなぎ、夕日のさす道を歩く。

ちかの心に、もう迷いはなかった。理想の彼氏ができたのだ。

かっこよくて、やさしくて、強い、ちかにふさわしい男。

ちかのことを一生愛してくれる、最高の恋人。

「もうすぐ暗くなるけど、どこか行きたいところってある？」

創は幸せそうに笑いながら、となりにいるちかのほうをむいた。

（ショッピングなんてつまんないし、私たち、いずれ結婚するんだし――）

まだ創の家族のことを、詳しく聞いていなかった。

だから今日は、いい機会かもしれない。

「私、創の家に行きたいな」

「来てくれるの？　俺の家族に紹介するよ」

心なしか、創もうきうきと高揚しているようだ。

「創、うれしそうだね」

「そりゃ、うれしいよ。幸せだ」

「ふふっ。創ってそういうこと、照れずに言うよね」

ミステリアスな人だけれど、案外、ふつうの男の子なのかもしれないと、ちかは思った。

「きっとみんなびっくりするよ。きみをつれてきたって言ったら」

創はちかの手をひいて、どんどん歩いていった。

駅前をはなれ、住宅街も通りすぎ、すっかり街のはずれまでやってきた。

（けっこう遠くない？）

「ほら、着いたよ」

創が立ちどまった場所は、あの動物園だ。

この時間はもう閉園して、入り口ゲートの明かりは落ちている。

「え……ここって……」

「どうしたの。おいで。暗いけど大丈夫だよ」

「う、うん……」

（近道でもあるのかな？）

導かれるままに、ゲートをくぐり抜け、園内に入る。

風が吹き、敷地内の木々が、ざわざわと音をたてる。

時々、あちこちから、動物の鳴き声が聞こえてきた。

夜はみんな獣舎の寝室にいるので、姿は見えない。鳴き声だけがこだましている。

そんななか、創は軽やかに歩く。

そして、ある獣舎に着くと、「関係者以外立ち入り禁止」と書かれたドアを開いた。

「ねえ、創。ここって、入っていいの？」

とまどいながらたずねても、創は平然とこたえる。

「いいんだ」

通路を奥に進むたびに、動物のにおいが強くなっていった。

ちかの顔から笑みが消え、だんだん青ざめていく。

創が、通路の一番奥にある鉄の扉をガチャリと開いた。

「紹介するよ」

そこにいたのは——ブタだった。

何匹ものブタが、わらの上でうごめいていた。

「俺の家族だよ」

ブタがいっせいに、ちかへ顔をむける。

「…………え？　どういうこと？」

ちかはおびえ、ガタガタと震えながら創を見あげた。

「ねえ、創。なにこれ？　なんの冗談…………」

創はブタたちのほうをむいたまま、目をはなさない。
まるでブタたちと視線で話をしているかのようだ。
その横顔をみつめていたちかは、はっと思いだした。
あの日、ふれあいコーナーで、飼育員がブタについて解説していた内容を。
『えー、ブタの求愛行動は、まずメスの発情が条件になります』
メスの発情――――。
それは、いつも物たりなそうな顔をして、なにかを求めていた、ちかの姿。
『メスをとりあって戦うとき、そのかたい鼻で攻撃したりします』
かたい鼻――――。
金髪ピアス男が創の顔面をなぐったものの、なぐったほうが手にケガをしていた。
あれは攻撃だったのだ。

俺の家族だよ

『ブタはわりとデリケートで、ストレスがたまると、となりの豚の尾や耳をかじる行動が見受けられます』

創は嫉妬をして、ちかの耳をかんだ――――。

「うそでしょ……どういうこ――――」

気づいたときには、創の姿は消えていた。

かわりにちかのとなりには、黒毛の若いブタがいた。

つぶらで黒々とした目の、たくましいブタが。

「結婚して子どもをたくさん作ろう」

ちかは、ブタの甘い声を聞いたような気がした。

「温かい家庭にしような」

その声は、創の声にとてもよく似ていた。

(だっ、誰か、誰か助けて……誰か……！)

「だっ――――」

あのときの飼育員が、扉を開けて入ってきた。

「おーい、みんな。ごはんの時間だぞ」

飼育員は、ブタたちを見て、首をかしげた。

「あれ？」

指を差して、ブタを数えてみる。

「気のせいかな………一匹多いような」

飼育員は、見たことのない色白のブタがいることに気づいた。

そのブタのひらひらした両耳には、まるでピアスをつけたような模様がある。

「こんな白いブタ、この獣舎にいたかな？」

首をひねって、もう一度数えようとすると、黒毛のブタが近づいてきた。

獣舎のなかでも一番たくましい、オスブタだ。

黒毛のブタは、飼育員からかばうように、色白のブタに寄りそう。

「おお、そうか。おまえの嫁さんだったな」

しかし奇妙なことに、飼育員は獣舎から一歩外にでたとたん、色白のブタのことをすっかり忘れてしまった。

それは、ほかの飼育員も同じだった。

誰ひとり、獣舎のブタが一匹ふえたことに気づかないまま、時間はすぎていった。


それから数か月後。

「ママ、見てぇ。ブタさんがいるー」

ブタのオリにかけ寄ってきた子どもが、大きな声で言う。

「見てー」

子どもが指さしたのは、わらの上に横たわる、色白のブタ。

腹のあたりには、生まれたばかりの子ブタが何匹もいて、一生懸命にお乳をすっていた。

「あら、あのブタさん、赤ちゃん産んだんだねぇ」

「赤ちゃん、いっぱいだ」

親子の声が聞こえたのか、色白のブタが、ゆっくりと首をまわして、オリの外を見た。

みてぇ
ブタさんがいる――
赤ちゃん産んだんだねぇ
幸せそうねぇ…

「本当だ。幸せそうねぇ……………」

ブタの目からは、涙がこぼれていた。

それは、幸せの涙なのか。それとも悲しみの涙なのか。

言葉の話せないブタの気持ちは、人間にはわかりようがない。

エピローグ

百三十時間目の授業はいかがでしたか？
少女の願いは「最高にいい男とむすばれること」。
そのためには、努力を惜しみませんでした。
おしゃれをしたり。
男性に好かれる仕草を研究したり。
より多くの男性とデートをかさねたり。
努力のおかげか、なんと、彼女の願いはかないました。
ただほんの少し、理想の形からは、ずれてしまいましたけどね。
あの動物園には、今でも色白のブタがいるそうです。
そばには、黒毛のブタが、いつでもくっついているとのこと。

二匹の間には、あのあとも、赤ちゃんブタがたくさん生まれたみたい。
でも、たまに黒毛のブタが嫉妬して、色白のブタの耳をかんでしまうそうですけど。
よほど色白のブタのことが好きなのでしょうね。
末永くお幸せに。
動物園にはほかにも、もとは人間だった動物がいるかもしれません。
もしかしたら、みなさんの近所の動物園にも……。

131時間目

ベイビーズ

プロローグ

こんにちは。
窓の外ばかり見ていてはだめですよ。
それでは、百三十一時間目の授業をはじめましょう。
突然ですが、みなさんは好きな人がいますか。
好きな人には、自分から告白するタイプでしょうか。
気持ちを伝えないとおちつかない、ですって？
ふふ、それは素晴らしい。あなたはとても勇気があるんですね！
今回の主人公は、イマイチ勇気をだせない少女です。
好きな人がいても、遠くからただみつめているだけ。
心のなかはいつでもモヤモヤしています。

そんな彼女が、あるゲームと出会いました。
楽しい恋愛シミュレーションゲームでしょうか？
それとも、気晴らしになるパズルゲーム？
いいえ、もっと彼女にぴったりのゲームです。
みなさんも、試してみたくなるかもしれませんよ。

小森紬、小学校五年生。

成績は真ん中。運動神経もまあまあ。

どこにでもいるふつうの女の子だ。

肩までの髪は、くせ毛をかくすために、「面倒くさいなぁ」と思いながら、いつもゆるい三つ編みにしている。

そんなイマイチな紬が、たったひとつ、毎日つづけていることがあった。

「今日こそ、大好きな彼に告白するんだ！」

と、決心すること。

毎朝、家の玄関をでたところから、もう紬の心臓はドキドキしている。

（告白する……ぜったいに告白するんだ……）

そう思いながら通学路を歩き、校門をくぐって、教室にむかう。

ろうかのあちこちからひびくのは、みんながかわす朝のあいさつ。

「おはよーっ」

「おはよう、今日の給食なんだっけ」

けれどそんな声も、紬の耳にはちっとも入らなかった。

(告白……告白……)

紬は、ランドセルの肩ベルトをぎゅっとにぎり、気合いを入れて歩く。

もうすぐ彼が登校してくる時間だ。

(来た！)

同じクラスの木村碧が、ろうかのむこうから歩いてくる。

碧は、切れ長の目もとがクールで、五年生にしては大人っぽい男の子だ。

ぱっと見は冷たそうだけれど、じつはとてもやさしくて気さくな性格。

男子からも女子からも人気があり、今もみんなから声をかけられている。

「木村くん、おはよ」

「うっす、碧！」

紬は心のなかで、「おはよう」と練習してみた。

（お、おはよう……よし、言えそう！）

紬は耳まで赤くして、教室の扉の前で待ちかまえた。

碧が入ってくる瞬間に、あいさつしようとするが――。

「あ……」

口からでてきたのは、壊れたリコーダーのような、裏がえった声だった。

碧は、紬がそこにいることに気づかなかったかのように、すーっと通りすぎていく。

うつむいた紬は、くやしそうに目を閉じる。

（だめだ……緊張して声がでない……）

がっくりして振りかえり、教室のなかを見ると、碧はクラスメイトにかこまれている。

「碧くん、聞いてよー」

「え、なに？」

「昨日、妹が、私のおやつ食べちゃってさ」

「あははは！　かくしとけばよかったのに」

碧の笑顔がまぶしい。

紬はうらめしそうに、碧とおしゃべりするクラスメイトたちをながめた。

（いいなぁ。私もああやって、ふつうに話しかけられたらなあ………）

そう思うものの、いざ碧を目の前にすると、緊張してしゃべれなくなってしまう。

（だめな私………）

紬は肩を落として、席についた。こうして告白の計画は、毎日失敗しつづけていた。

（あーあ、落ちこんじゃうな）


その日、家に帰ってからも、紬はずっと落ちこんでいた。

宿題もせずに、リビングのソファに寝転がって、うじうじ考える。

「おはようも言えないのに、告白なんて、やっぱり私には無理なんだよ」

そうつぶやくと、頭のなかに、ほわほわと碧の姿が浮かんできた。

（小三のころから好きな、碧くん………）

三年生のとき、紬は碧と同じクラスだった。

席がとなりになったのをきっかけに好きになり、それ以来、ずっと彼の姿を追いかけてきた。

五年生に進級したときのクラス替えで、また碧と同じクラスになれたと知ったときは、「これって運命かも!?」と舞いあがった。

(もし告白したとして)

紬の妄想はつづく。

(もしも、もしもOKがもらえたら、死んでもいいっ!)

いやいや、死んだらそれで終わってしまう。

(それじゃ、いっしょにいられないじゃん!)

紬はぶんぶんと首を横に振り、考えなおした。死ぬのはやめて、碧と楽しくすごすのだ。

(それで、そのまま中学も高校も、その先もずっとつきあって、それでそれで、結婚までいっちゃったりしたら……)

「キャ〜〜〜〜♡」

興奮して悲鳴をあげたところで、はっと我にかえった。

「なんか、むなしくなってきた………」

かなわない夢を妄想するなんて、みじめすぎる。

紬は、ふうっとため息をついて体を起こし、ソファに座りなおすと、ローテーブルにおいてあるゲーム機を手にとった。

「ゲームして気分あげよ」

気分転換には、ゲームが一番だ。

早速、ソフトのダウンロード画面をだして、アイコンを選ぶ。

「なんかいいのないかな。ここらへんはぜんぶ買ってもらったし」

画面には【ネコニャン物語】【ぱずパズるるんパ】【絶叫学級】などゲームのアイコンがならんでいた。

「【絶叫学級】？　ホラーはやだな」

怖い話は苦手だ。問題外。

ボタンを押してつぎの画面を表示させたところで、紬は手をとめた。

「ん？」

今まで見たことのないアイコンが、目に飛びこんできたのだ。

おしゃぶりをくわえた、かわいい赤ちゃんのイラスト。その下には、〝超リアル育成ゲーム〟と書かれている。

【ベイビーズ】という名前のゲームだった。

「【ベイビーズ】だって。初めて見た。どんなゲーム？」

紬はアイコンを選択して、ゲーム内容をチェックした。

「ええと、『彼とあなたの顔から、赤ちゃんの顔をAIが予測』か。ふーん。AIって、こんなこともできるんだ……」

説明文を、さらに読んでみる。

「わ、『大好きな彼との赤ちゃんを産もう』とか、まじで？」

（大好きな彼……）

紬の頭のなかに、ほわほわと碧の顔が浮かんできた。

「む、無料だし、やってみようかな」

ゲームのなかで赤ちゃんを産むのなら、誰にも迷惑はかからない。

頭のなかで妄想をくりひろげることと、そんなに変わらないように思えた。

紬だけの秘密にしておけばいいのだ。

「えいっ」

紬は、思いきってソフトをダウンロードした。

ゲームをスタートさせる。

明るく弾むようなBGMが流れだした。

やがて、ピコーンと軽快な音がして、吹きだしが現れた。

【1．両親の顔を入れよう】

と、吹きだしに書いてあった。文字のドットはあらく、背景イラストの線も、ぜんぜんなめらかではない。

「なんか、パパに見せてもらった、昔のゲームみたい」

けれど、ゲーム自体はとてもおもしろそうだ。

ピコーンと音がして画面が変わり、ふたりの顔写真を入れるフレームと、それぞれの名前を入力するバーが表示された。

「えと、まず自分の写真ね」

紬は、今までで一番かわいく撮れた写真を選んで、登録する。

「つぎは碧くんの写真……って、どうしよう」

あいさつすらできない紬が、碧の写真を持っているわけがない。

しかし、こういうときの紬はさえている。突然ひらめいた。

「あ、そうだ。碧くんのママのインスタに……」

思ったとおりだ。スマートフォンで画像をさがしてみると、家族で旅行をしたときの写真がでてきた。

「あった！」

碧は、おしゃれなドリンクを持っていた。でも、とても小さく写っている。それに、頭のあたりは見きれているし、正面ではなくて横顔だった。

ただ、視線はカメラにむけて、さわやかにほほえんでいる。

「碧くん、かっこいい………」

思わず見とれてしまった。

「横むきだけど、顔はわかるよね」

なんとかこの写真が使えそうだ。

「あとは、血液型と、生年月日と、得意なこと、苦手なこと——入力すること、けっこう多いなぁ」

紬は、ゲームに必要なふたりのプロフィールを、ちまちまと入力して、決定ボタンを押していった。

押すたびに【Ｍｉｘ！】というアニメーション文字が現れる。

「こうやって、私の特徴と碧くんの特徴を、ミックスしていくんだね。どんな赤ちゃんになるのかなぁ」

数秒後、【Ｂｏｒｎ！】という文字と、キラキラした星のアニメーションが動きだし、かわいい赤ちゃんのイラストが、ポン！　と画面いっぱいに飛びだした。

ついに、碧と紬の子どもが誕生したのだ。

紬はなんだか感動してしまった。

「かわいい………」

まるっこい二頭身ボディに、瞳のなかにはキラッと輝く「☆」の模様。

シャーベットグリーンのロンパースを着て、胸に白いスタイをつけている。

赤ちゃんは、紬にむかってにっこり笑っている。

リアルな絵柄ではなく、解像度の低いシンプルな絵柄なところが、かえって魅力的だった。

「赤ちゃんは男の子だ。かわいいなぁ………」

紬はしみじみと言った。見れば見るほど、幸せな気分になっていく。

「目もとが碧くんそっくり。くせっ毛は私似かな」

ゲームのなかの赤ちゃんをほほえましくみつめていると、またピコーンと軽快な音がした。

【2．名前をきめよう】

そう書かれた吹きだしを見て、紬の表情はますます明るくなった。

「そうだよね、名前をつけてあげなくちゃ！」

(どんな名前がいいかな)

紬は、うーんとうなりながら考える。

希望にあふれていて、元気いっぱいに、すくすく育ってくれるような名前。

そのうえ、かわいくて、かっこいい名前がいい。

紬の頭のなかに、素晴らしい名前がひらめいた。

「みらい、木村みらい！」

紬が「みらい」と名前を入力したとたん、画面に星がたくさん飛びちり、背景がベビーベッドに早変わりした。

みらいはベッドの上にころんと横たわり、ニコニコ笑顔で紬をみつめる。

BOY
……
可愛い…
目元が碧くんそっくり
くせっ毛は私似かな(笑)
2.名前を決めよう
ピコン

「みらい………碧くんと私の赤ちゃん………」

うっとりとつぶやいた、ちょうどそのとき、リビングのドアが開き、母親が入ってきた。

「なに？　赤ちゃんって言った？」

どうやら声が聞こえてしまったらしい。

紬は、あわててゲーム機を体のうしろにかくし、とぼけてこたえた。

「そ、そんなこと言ってないよ？」

「おかしいわね。聞こえた気がしたんだけど………。あ、またゲームやってる！」

紬は顔をひきつらせた。

「今やめようと思ってたところだよ」

「遊んでばっかりいないで、宿題は終わったの？」

「えっと、そうだよね、宿題やらなくちゃね。あはは」

わざとらしく笑いながら、紬は、二階にある自分の部屋にかけあがっていった。

（あぶなかった………）

パタンと部屋のドアを閉め、机の前に座り、ゲーム機をのぞく。

「あれ？」

みらいのかわいいまゆ毛が、八の字になっている。

おまけに、ゲーム機のスピーカーから、今にも泣きだしそうな音声も流れだした。

『フェ…………ンァ…………』

「ど、どうしよう。泣いちゃいそう」

画面をよく見ると、右上に小さなアイコンがならんでいる。「哺乳瓶」「おしゃぶり」「ガラガラ」「おむつ」「ベビーバス」のマークだ。

「おなかすいてるのかな？」

哺乳瓶アイコンを選択すると、シャラララン、という涼やかな音とともにアニメーションが動き、みらいがミルクを飲むシーンに変わった。

【クピクピクピ】と文字がでてくる。

「わあ、飲んでる〜！　このゲーム、楽しいかも！」

ミルクを飲みおえたみらいは、ニコニコ笑顔に戻った。すると。

【背中をトントンしよう】

ピコーン、と音がして画面に吹きだしが現れ、アイコンがもうひとつふえた。赤ん坊の背中が描かれたものだ。

「トントンってなにかな？」

よくわからなかったが、背中アイコンを選択してみる。

【ケプ】

みらいがげっぷをした。

「トントンすると、げっぷがでるんだ。かわいい～」

みらいはすっかりおちついた様子で、すやすやと眠りはじめる。

そのあとは、どのアイコンを選択しても【ぐっすり眠っているよ】という吹きだしがでてくるばかりで、なんのイベントも発生しない。

「えーっ、つまんない。なにか反応してよー」

不満げにボタンを操作しているうちに、ふと思った。

「そっか。みらいは今、眠ってるんだよね。ってことは、そっとしておいてあげなきゃ」

ボタンを押す手が、自然ととまる。

それからしばらく、紬はほっこりとほほえみながら、みらいの寝顔をみつめていた。


その夜遅く、紬は聞きなれない音で目を覚ました。

『オギャア、オギャア』

(なに、この音。うるさいんだけど…………)

ベッドで熟睡していた紬は、体を起こして目をこすり、きょろきょろと部屋を見まわす。

妙な音は、机の上においたゲーム機から聞こえてきていた。

まぎれもなく、赤ちゃんの泣き声だ。

時計を見ると、夜中の十二時すぎ。

「…………え、なに？　どうしたの？」

起きあがり、暗いなかでゲーム機を見ると、みらいが顔をゆがめて泣いている。

『オギャア、オギャア』

きっとおなかがすいたのだ。

「ああそっか。はいはい」

哺乳瓶アイコンを選択すると、みらいは【クピクピクピ】とミルクを飲んだが、昼間のように満足そうな笑顔に変わらない。

「トントンするんだっけ？」

背中アイコンを選択しても、不機嫌そうな顔のままだ。

そうこうしているうちに、みらいはふたたび泣きだしてしまった。

『オギャア！　オギャア！』

スピーカーから聞こえてくる音声が、だんだん大きくなっていく。

「ちょっと！　そんな声で泣いたら、ママたち起きちゃうよ！」

ゲーム機をのぞきこんだまま、紬がおろおろしていると、ピコーン、と吹きだしが表示された。

【眠るまで、ユラユラしてあげよう】

「は、はい！」

紬は思わず返事をし、ゲーム機を胸に抱いて、本物の赤ん坊をあやすように、ゆらゆらと体を動かしはじめた。

「………これでいいのかな」

『オギャア！　オギャア！』

「あーっ、ごめんね。ねーむれー、ねーむれー………」

指示どおりに「ユラユラ」をやってみても、みらいはちっとも泣きやまない。

三分たち、五分たち――暗い部屋のなかを歩きまわること十分。ようやく赤ちゃんのアニメーションは、すやすや眠る姿に変わった。

みらいのぷくぷくした頬が、ピンク色に染まっている。

（かわいい………）

紬は頬をゆるませ、液晶画面をなでる。

（いつか私も結婚して、赤ちゃんができたら、こんな感じなのかなぁ）

ほっとしてゲーム機を机におき、紬はふたたびベッドに入った。

ところが、二時間後、また大きな泣き声が、暗い部屋にひびきわたったのだった。

『オギャア、オギャア』

紬が飛びおきる。

「えー!?　また!?」

ゲーム機をとりに行き、半分眠ったままの頭でアイコンをさがす。

哺乳瓶アイコンを選択するが、ミルクを飲ませてもすぐにまた泣きだしてしまう。

『オギャア！　オギャア！』

「トントンかな」

『オギャア！　オギャア！』

「ちがうの？　今度はどうすれば……」

ピコーン、と吹きだしが現れた。

【おむつを替えよう】

あわてておむつアイコンを選択すると、みらいは泣きやんで、すやすやと眠りはじめた。

紬が安心してベッドに入ると、また二時間後にみらいが泣きだす。

「これじゃ眠れないよ――」

結局、ゲーム機をゆらゆらと抱いたまま、夜が明けてしまった。

目の下にクマのできた顔で、画面をのぞきこむ。

そして、紬はおどろいてしまった。

「……ハイハイしてる!!」

数時間前まで寝転がることしかできなかったみらいが、ベビーベッドの上をハイハイしているのだ。

「展開、早っ！」

ゲームのなかの時間経過は、現実よりずっと早いようだ。

みらいは小さなおしりを振りながら、一生懸命にハイハイしていた。

紬は、眠いのも忘れて、ふふふっと笑いだした。

「ゲームだけど、ちゃんと成長してるんだ。うれしいな」

世話をすればするほど成長していくみらいが、かわいくてしかたがない。

いつもより早い時間に、一階のダイニングキッチンにおりていった紬は、そこにいた両親に問いかけた。

「ねえ、パパ、ママ」

眼鏡をかけた父親は、シャツにネクタイ姿で冷蔵庫から牛乳をとりだしている。

エプロンをつけた母親は、シンクの前で食器を用意していた。

「あら、紬。今日は早いじゃない」

「うん。あのさ、私が初めてハイハイしたとき、うれしかった？」

「え、なに急に」

母親が、おどろいて手をとめる。

父親も、冷蔵庫のドアを閉めて振りかえった。

「そうねー…………」

と、両親はおたがいに顔を見あわせた。

「パパとふたりで大喜びよ」

「思いだすなー、あのときのこと」

それを聞いた紬は、しみじみと思った。

(今ならちょっとわかるな。その気持ち)

すると、父親が言う。

「それにしても、どうしてそんなこと知りたくなったんだ?」

「えーとその、あれだよ、学校の授業で聞いてこいって。ははは」

ゲームの話だなんて言ったら、きっとまたしかられてしまう。そう思い、紬はでまかせを言って、ごまかしてしまった。


登校した紬は、その日もまた碧にあいさつができないまま、自分の席についた。

目の前を横切っていく碧をながめ、ぼんやり思う。

(みらいのパパ……なんちゃって)

紬にみつめられているのも知らず、碧は椅子に座った。

几帳面な手つきで、ノートや教科書をランドセルからだしている。

それから、となりの男子と楽しそうにおしゃべりをする。

どんな仕草も、見とれるくらいに素敵だ。

（碧くん、私、がんばるからね）

紬は人知れず、心のなかでつぶやいた。

（みらいを一人前に育てるまで、がんばるからね）

下校のチャイムが鳴ると、紬はすぐさま教室を飛びだした。早足で家まで帰り、玄関に入るやいなや、二階の部屋へかけあがる。

「ただいまー。みらい、遊ぼー」

ゲーム機の電源を入れて【ベイビーズ】をスタートさせる。昨日と同じ、明るく弾むようなBGMが流れだした。

しかし、今朝は元気いっぱいに笑っていたみらいの様子がおかしい。

画面のなかで、目を閉じてうつぶせに横たわったまま、動かないのだ。

「みらい？」

よく見れば、みらいの顔が赤く染まっているではないか。

血だ。出血している。

「えっ、えっ、どうしたの!?　みらい!!」

紬は息がとまりそうになった。

「なに!?　なんでこんな………」

ピコーン、と吹きだしが現れた。

【高いところから落ちて、頭を打ったよ☆】

「高いところから………？」

どうやら、ベビーベッドから床の上に落ちてしまったらしい。

【ちゃんと見守ろう！】

「見守るって言われても、学校につれていくわけにいかないし………」

でも、このままだとみらいが死んでしまう。

「とにかくみらいを助けなきゃ！」

紬はゲーム機をめちゃくちゃに操作した。ボタンを長押ししてみたり、複数のボタンを両手で同時に押してみたり、思いつくことはすべてやってみる。

ピコーン。

突然、いつもの音が鳴った。

つぎの瞬間、画面が変わった。みらいが点滴を打ちながら眠っているアニメーションだ。

どの操作が正解だったのかわからないが、とりあえず病院につれていくことができたようだ。

みらいの頭と左目が、包帯でぐるぐる巻きにされている。

「ごめんね。私が目をはなしたせいで」

紬の心が痛んだ。

「ごめんね………」

紬は画面をみつめたまま、一時間近くじっと自室のベッドの上に座りつづけた。
やがて、みらいの右目がぱちっと開く。
「みらい？」
紬の声に反応するように、みらいが小さな手をのばした。
『マ………マ。マーマ………』
か細い声でそう言い、一生懸命に笑おうとしている。
紬は、安心したのと、ケガをさせてしまった罪悪感とで、泣きそうになった。
(私が守らないと、この子は死んじゃうんだ………)
もう二度と、こんな目にはあわせない。
(学校を休んだっていい。この子のためなら)
紬はそう心に誓った。

「え、風邪？」
つぎの朝、紬が「体調が悪い」と言うと、母親はあっさり学校を休ませてくれた。

「そう、じゃあ今日は寝てなさい」

「うん」

仮病で欠席するなんて、生まれて初めてだ。紬はケホケホと、うその咳をする。

しかし、部屋に戻ってドアを閉めると、たちまち笑顔になった。

「みらい！　今日はずっとママといっしょだよ！」

ゲーム機のなかのみらいはもう退院し、体も少し大きくなったようだ。

ひたいから左の頬にかけて、傷を縫いあわせた跡ができてしまったが、それでも元気いっぱいだった。

シャーベットグリーンの水玉シャツを着たみらいが、手をのばしている。

『マ……………マ』

「ママはここだよー」

と、紬が液晶画面にふれようとした矢先に、ピコーンと、またあの音がした。

【予防接種を受けた？☆】

「予防接種？　そんなのやってない」

あわててアイコンをさがすが、それらしいアイコンがみつからない。

【予防接種をしないと、赤ちゃんが病気になるよ！】

「病気って…………」

紬は、みらいにケガをさせてしまったときのように、絶望的な気持ちになった。

おろおろして震えながら、またボタンを手あたり次第に押してみる。

「どうしよう…………また私のせいで…………」

泣きだしそうになったころ、ピコーンとあの音が鳴り、画面に注射アイコンがでてきた。

「よ、よかった〜。みらい、注射だよ！」

注射アイコンを選択すると、みらいは顔をゆがめて、『ぐすんぐすん』と泣きだした。

「泣かないでー！　我慢だよ、えらいえらい」

それからしばらく『ぐすんぐすん』と泣きつづけるみらいをあやしているうちに、紬はゲーム機を抱いたまま、ベッドで眠ってしまった。

ハッと気づくと、もうお昼すぎ。

（やば。眠っちゃった……）

体が重い。のろのろ起きあがると、ゲーム機から声がする。

『ママ、抱っこ』

「わあ、もうそんなにおしゃべりできるようになったの？　えらいねえ」

みらいの成長はとても早かった。

「哺乳瓶」のアイコンも「離乳食」に変わり、夜になるころには「ごはん」に変わった。

「おしゃぶり」と「ガラガラ」も、赤ちゃんではなくなってくると、「お絵描き」や「お歌」に変わった。

すぐに立って歩けるようになり、スプーンを使って上手にごはんを食べられるようにもなった。

『ママ、これキライ』

「だめよ、好き嫌いしないで食べなさい」

『ママ、おいしいねえ』

「そうでしょ。おいしいよね」

みらいがクレヨンをにぎり、画用紙に絵を描く。

『ママ、見て』

「すごーい！　上手に描けたね！」

紬がなにか言うたびに、まるでその声が聞こえているかのように、みらいは笑う。

（みらいが笑う姿をもっと見たい）

紬はベッドでふとんを頭までかぶり、みらいの世話をしつづけた。

（大きくなっていく姿をもっと……………）


紬はつぎの日も、そのつぎの日も学校を休んだ。

食欲がないと言ってほとんど食事をせず、ひたすらゲーム機を操作する。

（もっと……………）

あっという間に一日がすぎた。

成長の早いみらいは、もう三歳になっている。

「すごーい、みらい――絵が上手だね――つぎは遊園地に行こうか――」

いったい何日休んだのだろう。日にちも曜日もよくわからない。

しかしある日、突然、誰かにバッとふとんをはがされ、持っていたゲーム機を奪われた。

見あげると、鬼のような顔をして怒っている母親が立っていた。

紬からとりあげたゲーム機を、手ににぎっている。

「お友だちがお見舞いに来てくれたのに、なにしてるの？」

母親の声は、怒りのあまり震えていた。

「まさか、ゲームで遊ぶのが目的で、ずっとズル休みしてたの？」

母親が持っているゲーム機のなかで、みらいが『えーん、えーん』と泣いていた。

（みらいが、泣いてる………）

あせった紬は、言いかえした。

「遊びじゃないよ。子育てだよ。なに言ってるの？」

「こんなことしてるなら、ゲーム機は捨てます！」

母親が激しい口調でしかりつける。

紬は青ざめた。

（捨てる？　みらいが……私の子どもが捨てられる！）

そう思った瞬間、紬は母親にとびかかり、ゲーム機を奪いかえしていた。

「つ、紬……！」

ゲーム機をしっかり胸に抱き、紬は部屋を飛びだそうとする。

ところが、そこにいた誰かにぶつかりそうになり、足をとめた。

「あ、碧くん……」

ドアのすぐ外にいたのは、碧とクラスメイトたちだった。学校のプリントを持ってお見舞いに来てくれたのだ。

「よかった！　碧くん！」

とりみだす紬を見て、碧は目をまるくしている。

「小森さん、どうしたの？」

「ママがみらいを、子どもを捨てるって……」

「子ども？」

「そうだよ！　私たちの子どもだよ！　見て！」

紬はゲーム機を、碧の目の前にかかげた。

そこには、【ベイビーズ】のプロフィール画面が表示されていた。

紬と碧の顔写真の下に、みらいのイラストがある。

「ほら、私と碧くんの子ども！」

碧の顔がひきつった。

おぞましいものを見る目で、画面と紬を交互に見る。

数秒間の沈黙のあと、クラスメイトのひとりが、気まずそうに言った。

「も、もう今日は帰らない？」

そのひとことを合図に、みんなは無言で紬に背中をむけ、ぞろぞろと階段をおりていく。

母親があわててみんなにあやまった。

「ごめんなさいね、みんな。せっかく来てくれたのに」

しかし紬はわなわなと震え、去っていく碧に叫ぶ。

「待って、碧くん！」

(それでも父親なの!?)

碧は完全におびえきっていた。振りかえりもせずに帰っていく。

今にも追いかけていきそうな紬を、母親はひきもどした。

「紬！　あなたおかしいわよ！」

そして、ふたたび紬からゲーム機をとりあげ、カタカタとボタンを押す。

ゲーム機から、AIの音声が聞こえてきた。


『みらいを捨てますか？』


「ママ、やめて！」

とりすがる紬を無視して、母親は冷静にボタンを操作しつづける。

すぐに、データが消去されたことを告げる、ピコーンという音が鳴った。

「データはぜんぶ消去したわよ。だから、いつもの紬に戻ってちょうだい」

「うわぁぁぁぁ!! 鬼!! 悪魔!!」

紬は泣き叫び、母親の足にすがりついて怒鳴った。

「同じ母親としてはずかしい!!」

紬の顔は、涙と鼻水でぐちゃぐちゃだ。

母親は紬の剣幕に一瞬息をのんだ。

「……………紬。あなたに子どもはいない。これはゲームよ」

そして静かに言い、しゃがんで床にひざをつき、紬の体を抱きしめた。

「いつもの紬に戻って。お願い」

母親の体の温かさが、紬に伝わっていく。

「お願い…………」

ぼうぜんとしていた紬の目に、タンスの上にある写真立てが映った。

写真立てには、紬のお気に入りの写真が入っている。

紬が三歳のころ、家族三人で動物園に行ったときのスナップ写真だ。

紬は、母親に抱かれて笑っている。両親も、幸せそうに笑っていて――――。
そのときだった。
「ママ」
突然、紬の背後から声が聞こえた。
ぎょっとした紬が振りかえり、母親もおどろいて体をはなす。
(この声は……………)
まぎれもなくあの声。ゲーム機からよく聞こえていた――――。
「ママ」
いったいいつ、入ってきたのだろうか。
部屋のなかに、三歳くらいの小さな男の子が立っていた。
シャーベットグリーンの水玉シャツ。
ひたいから左の頰にかけて走る、生々しい傷跡。
男の子はぎょろぎょろした真っ黒い大きな目で、紬をみつめた。
(…………みらい)

ママ
…ちょっと どこの子?
警察に 迷子の電話 してくるわ

紬が心のなかでつぶやくと、母親は怪訝そうな顔をして言う。

「ちょっと、どこの子？　いつの間に入ってきたの？」

迷子かしら、と部屋をあとにする。

「警察に電話してくるわ。紬はここにいて」

「うん…………」

うわのそらの返事をし、紬はふらふらと立ちあがった。

ゲームのなかのみらいが、どうして現実にいるのだろう？

「そっか。捨てたから、私をうらんで――」

つぶやいた紬のもとに、みらいがタタッとかけ寄ってきた。

そしてもものあたりに抱きつき、紬の着ていたTシャツのすそを、ぎゅっとにぎる。

（…………あったかい）

みらいの体は温かかった。

小さな頭をなでる。日なたのようなにおいがする。

（このみらいは、ゲームのキャラなんかじゃない。生きてる）

紬は、動物園に行ったときの家族写真を見やった。幸せそうな笑顔。

（あの写真に写っている私みたいに、みらいのことも笑顔にしてあげなくちゃ）

「みらい」

しゃがんでみらいと目線を合わせ、紬は愛情に満ちた笑みを浮かべる。

「今度こそ、ママが守ってあげるからね」

おいで、とみらいを抱きあげる。

ふと部屋のなかを見ると、今まで壁だった場所に、真っ黒い空間が広がっていた。

その空間は、ずっと遠くまで、どこまでもどこまでもつづいているようだ。

一体どこへつながっているのか、紬にはわからない。

けれど紬は、みらいをしっかりと胸に抱き、暗闇のなかへと歩いていった。

数分後、母親が二階にかけ戻ってきた。

「紬っ！　さっきの子は……」

しかしそこには、誰もいない。

いつもと変わらない、紬の部屋があるだけだった。

「…………紬？」

その街では、こんなうわさが飛びかっていた。

【ベイビーズ】っていうゲーム、知ってる？」

ファストフード店で、学校帰りの女子高校生たちがおしゃべりをしている。

「名前だけなら知ってる」

「あれやった人、みんな行方不明になってるらしいよ」

「うそ。なんで？」

「…………さあ。やったことないから、わかんないや」

エピローグ

百三十一時間目の授業を終わります。
恋する少女が、軽い気持ちではじめたゲーム。
それが、とんでもない結果を招いてしまいました。
現実にはいないキャラクターを、愛しすぎてしまったようです。
まるで、なにかにとりつかれてしまったように。
なんだか、幽霊より怖いと思いませんか？
もしかしたら、あのとき捨てた「みらい」は、少女の未来だったのかもしれません。
少女は姿を消してしまったのですから。
大人になる未来も、いつか好きな人と結婚できたかもしれない未来も。
ぜんぶ消えてしまいました。

部屋に突然現れた小さな子どもも、少女といっしょに消えました。

ふたりがどこかで幸せに暮らしているといいのですが。

みなさんも、大好きな人との赤ちゃんを育ててみたいなら、ぜひ【ベイビーズ】をプレイしてみてください。

きっと満足するはずですよ。

ただし、愛しすぎにはご注意を！

132時間目

恋人たちのクリスマス

プロローグ

さあ、百三十二時間目の授業です。

みなさん、そろっていますか？

十二月二十四日は、クリスマスイブですね。

輝くイルミネーション。

美しく飾られたツリー。

街じゅうにサンタとトナカイのイラストがあふれ、あちこちでクリスマスケーキが売られます。

プレゼントを贈りあうのも楽しいですよね！

そしてこの日は、大切な人とすごす人も多いようです。

家族といっしょに、家で静かにすごす人。

仲間を集めてパーティーを開く人。
恋人と仲良くデートを楽しむ人。
ほら、ここにもひとり、待ち合わせをしている女の子がいます。
どうやらお相手は、まだ来ていないようですね。
いったい誰を待っているのでしょう?

十二月二十四日の街は、クリスマス一色だ。

あちこちから聞こえてくる、鈴の音や『ジングル・ベル』のメロディー。

大通りのカフェやショップ、街路樹も、キラキラ輝くイルミネーションやクリスマス・オーナメントで飾りつけられている。

「遅いなぁ………」

駅前広場の、大きなクリスマスツリーの前で、門脇絵里香がつぶやく。

「もうこんな時間なのに」

広場の中央にある時計は、午後八時二十五分を少しすぎている。

まわりを見まわせば、もう合流できてはしゃいでいるカップルやグループでいっぱいだ。

高校二年生の冬休み。今日の絵里香は、とびきりおしゃれをしていた。

「うーん。もっと髪、巻いてくればよかった」

ハンドバッグから小さな鏡をとりだしてチェックする。

背中までのばした髪は、両サイドの耳の上で少しだけむすび、ツーサイドアップにしていた。絵里香が一番かわいく見えるヘアスタイルだ。

「ネイルははがれてない」

両手の爪をみつめる。

「服、変じゃないかな」

今日は花柄のAラインコートに、すそからフリルレースがのぞくミニスカート、足もとはムートンのショートブーツを合わせてきた。

一見、黒いオーバーニーソックスに見えるタイツは、ちょうどひざの上のあたりに黒猫の顔がくるような、個性的なデザインだ。

「待った？」

若い男の声が聞こえ、絵里香ははじかれたように顔をあげた。

それと同時に、少しはなれたベンチに座っていた女の子が、口をとがらせて立ちあがる。

「遅ーい」

「ごめんごめん」

(なーんだ。私じゃなかった)

恋人と落ちあったカップルは、腕を組んで幸せそうに歩いていく。

そのうしろ姿をながめ、絵里香はため息をついた。

(まだかなぁ)

さびしくなって、スマートフォンをながめる。

ホーム画面に設定してあるのは、男の子の写真だ。

彼の名前は、山田柊。

写真のなかの柊は、高校の制服を着て、ピースサインをして笑っている。

(うふふ。かっこいいな、柊くん)

その写真は、もともとツーショットだったけれど、柊だけの写真にしたくて、ほかの部分は切りとってしまった。

(柊くん、今夜はどんな服で来るのかな)

写真をみつめているうちに、妄想がふくらんできた。

(柊くん、きっと私をみつけて――――)

妄想のなかで、絵里香をみつけた柊が、さわやかにほほえんだ。

『待った？』

ネイビーブルーのコートとチェックのマフラーが、柊にとても似合っていた。

『遅ーい』

絵里香は、さっきの女の子みたいに口をとがらせ、すねてみせる。

(なーんて。柊くん、早く来ないかな)

スマートフォンをにぎりしめてニヤニヤしていた絵里香は、となりに立っていた人と肩がふれてしまった。

ここは待ち合わせスポットになっており、うっかりすると知らない人にぶつかってしまうのだ。

「あ、ごめんなさ――――」

あわてて絵里香が振りかえる。

すると、長身の若い男が、絵里香のほうへ顔をむけた。

「すみません」

そうあやまった男は、びっくりするほどのイケメンだ。

ただ奇妙なことに、全身が黒ずくめだった。髪も瞳も黒。ジャケットとパンツ、タートルネックのシャツ、靴も黒。さらに、手には黒い革手袋。

首からはお守りのように、指輪をチャームにしたネックレスをさげている。

前髪からのぞく瞳が、絵里香をみつめる。思わずドキッとした。

(なにがドキッよ。バカ、私)

赤らんだ頬を両手で押さえ、首をぶんぶんと横に振る。

絵里香には柊がいるのだから、ほかの男の人に見とれるなんて、ありえない。

(柊くん、ごめんなさい〜………)

赤面したり動揺したりと挙動不審な絵里香に、男は気さくに話しかけてきた。

「ねぇ。きみ、ひとり？　よかったら少ししゃべらない？」

絵里香はきょとんとして男を見あげる。

(え？　これってナンパ⁉)

年齢より幼く見える絵里香は、今までナンパなんてされたことがない。

(うそー………！)

気が動転し、しどろもどろになってこたえた。

「あ……あの、でも、私、待ってる人が……」

「俺も、待ち合わせてる子がいるんだけど」

「え？」

ナンパかと思ったが、そうではないようだ。

黒ずくめの男は、やれやれといった様子で、両手をひろげて言った。

「このとおり、時間を持てあましてるんだ。きみの相手が来るまででいいから。だめかな？」

絵里香は男をじっとみつめた。

悪い人ではなさそうだった。上品で大人っぽく、とてもおちついている。

おしゃべりするだけなら、つきあってもいいかもしれない。

「………じゃあ、来るまでなら………」

男はおだやかに笑った。

「ありがとう。あのお店で温かいコーヒーを買ってくるよ。おしゃべりのお礼に、きみもどうかな」

「そんな、いただけません」

「遠慮はしないで」

そう言うと、男はむかいにあるコーヒーショップで、ホットコーヒーをふたつ買い、戻ってきた。

「どうぞ」

「………ありがとう、ございます」

コーヒーを受けとるのをためらう絵里香を見て、男がくすっと笑う。

「もしかして、警戒してる？」

「はい、ちょっと………」

「大丈夫だよ。眠り薬なんて入ってないから」

絵里香は遠慮がちにカップを受けとり、ふたりはツリーの前のベンチに腰かけた。

しかし、座ったものの、なにを話したらいいのかわからない。

（どうしよう。学校の話なんてしても、つまんないだろうし……）

気まずくてうつむいていると、男のほうから話を振ってきた。

「待ってる人って、彼氏？」

「あ、はい」

緊張ぎみにこたえる絵里香。

「つきあってどのくらいなの？」

「えと、まだぜんぜんで。今日が初めてのデートで……」

「じゃあ、今一番楽しい時期だ」

「そうなんですかね」

話すうちに、やっと気持ちがほぐれた絵里香は、コーヒーをひと口飲む。

「彼の写真、見ますか？」

「見せてくれるの？」

「もちろん」

スマートフォンの写真を見せ、絵里香は熱く語りだす。

「彼は――あ、柊くんって言うんですけど、柊くんは、小学生のころからずっといっしょで」

写真の柊は、カメラ目線で笑っている。

小学生のころと変わらない、明るい笑顔。

絵里香は、この笑顔が大好きだった。

「とにかく、誰にでもやさしくて。リアル王子さまっていうか……」

文化祭の準備で帰りが遅くなった日に、家まで送ってくれたこともあった。

遠足のときに、疲れて歩けなくなった絵里香に合わせて、いっしょに山道をくだってくれたこともある。

小学校のころは、図工の工作を手伝ってくれたことも――。

思いだすだけで、絵里香の頬はゆるんでくる。

「彼がその場にいるだけで、幸せな気持ちになるんです」

「……すごく好きなんだね、彼のこと」

「はいっ！」

絵里香は満面の笑みでこたえた。

「彼のいない人生なんて、考えられないです」

ちょうどそのときだった。

ふたりの前を通りすぎるカップルの、大きな話し声が聞こえてきた。

「もうやだ〜。クリスマスイブにそんな話、しないでよぉ」

「ビビリだなぁ。そんなに怖がらなくても」

「だって、めちゃくちゃホラーじゃん」

（ホラー？）

と、絵里香が顔をあげる。

すると、さっきのカップルの会話を耳にした若い女性たちが、こそこそと話す声も聞こえてきた。

「なになに？　今のカップル、なんの話してたの？」

「あー、先週、この近くで事件あったらしいよ。その話じゃない？」

「えっ、事件？　まじで？」

「うん。女の子がころされて、道端に倒れてたって………」

殺人事件の話だと知った絵里香は、おびえて男に顔をむける。

「あの………今の話って、知ってますか………」

けれど、男は素知らぬ顔でコーヒーを飲んでいる。

まるで、わざと聞こえない振りをしているようだった。

「知ってます？　今の話」

絵里香がもう一度たずねると、男は淡々とこたえた。

「ああ、人から聞いたよ」

男は、事件について、特になにも感じていないように見える。

怖いだとか、死んだ女の子に同情するだとか、そういう気持ちはなさそうだ。

「かわいそうですよね」

絵里香はそうつぶやいた。ひとりごとが思わず口からこぼれる。

「これからまだまだ楽しいことたくさんあったのに、死んだらなにもできなくなっちゃうんだよね」

たとえば。

好きな人と手をつないだり。

抱きしめて温かさを感じたり。

(そういうこと、もうできないんだよね………)

絵里香はコーヒーを飲み、さびしくうつむく。

突然、男がぽつりと言った。

「じつは俺、見える人でさ」

「え………え?」

あまりに当たり前のことのように言うので、絵里香は自分の耳をうたがってしまった。

「今なんて? み、見える?」

(えと、えと………なにが?)

男は、絵里香のうしろのほうを見やる。

その視線の先にはビルがあり、入り口の自動ドアの横に大きな柱があった。

「ほら、きみのうしろの柱、なにか見えない？」

「……………どこですか？」

絵里香が素直にそちらを見ると、男が言った。

「あそこに、ころされてズタズタになった女の子が…………‼」

「キャアア―――‼」

絵里香は叫び、男の腕にしがみついた。

「やだやだ、やめて！」

おどろいたのと、おそろしいのとで、半泣き状態だ。

ところが男は、愉快そうに笑みを浮かべ、しがみついてきた絵里香を受けとめる。

「ははは。大丈夫？」

絵里香は、自分がからかわれていたことに、ようやく気づいた。

気づいたとたんにはずかしくなり、男をポカポカたたく。

「やっ、やめてくださいよーっ！　なにもいないじゃないですかーっ」

しかし、はっと我にかえった。

（こんなとこ、柊くんに見られたら）

あわてて、行きかう人々を見まわした。

（………いない）

柊の姿は、まだどこにも見あたらず、少しほっとする。

それにしても、もうそろそろ到着してもいい時間だった。

なのになぜか、柊も、男が待ち合わせをしている相手も、なかなか現れない。

「てゆーか、彼女さんに誤解されちゃいますよっ。まだ来てないんですか？」

すると男は、冷ややかな声で言った。


「もう来てるよ」

男の声は冷たいのに、表情はやんわりとほほえんでいる。

絵里香の胸はざわついた。

(来てる？　どこ？　来てるのに、なんで私といっしょにいるの？)

男の彼女がもう来ているのだとしたら、どこかから、自分たちのことを見ているかもしれない。

「来てるんですか？」

絵里香は、ふたたび人混みに視線をむけるが、それらしき女の姿はない。

男がうなずく。

「来てるなら、行けばいいじゃないですか」

「でも、もう少しきみと話したい」

男がさらりと言ってのけるものだから、絵里香はどぎまぎした。

誰かにこれほど大胆に迫られたのは、生まれて初めてだ。

(やっぱりナンパ？)

むずがゆいような気持ちになり、頬を染めて、サッとうつむく。

「か、彼女さん、やきもち焼かないんですか？」

「まぁ、人並みかな。ふつうだよ」

（ふつうって？）

ふつうなら、すごくやきもちを焼くはずだと、絵里香は思った。

平気でいられるのは――それはきっと、愛がたりない証拠。

そんなのは一途ではないような気がするし、軽蔑してしまう。

「…………へえ」

と、絵里香の口から、自分でもおどろくほど低い声がでた。

「大人なんですね。私だったら、こんなとこ見たら、許せないです」

（もし柊くんが、ほかの子といたら――）

絵里香は想像してみた。

待ち合わせ場所に行ってみると、柊がほかの女の子とおしゃべりをしていて――すごく仲が良さそうで――。

（許せない）

柊は絵里香に気づかず、いつまでも女の子と楽しそうにしている。

まるで絵里香のことなど、初めから好きではなかったかのように。

(そんなの許せないよ。私だったら………)

「相手の子になにするか、わかりません」

きっぱりと言いきると、男が怪訝そうな顔をした。

どうやら物騒なことを言ったせいで、おどろかせてしまったようだ。

変な子だと思われてしまったかもしれないと、絵里香は不安になった。

「あはは。重いですよね」

とりつくろうように、明るく笑う。

「私、よく言われるんです。愛が重いって。でも——」

男の顔色をうかがいながら、絵里香は言いつのった。

「でも、たくさんの愛を持ってるほうが愛されるって、そう言われて育ったんです」

しゃべればしゃべるほど、言い訳がましくなってしまう。

「だから、私はまちがってないと思うんですよね」

きっとまちがっていないはずだ。

愛が重いのは、愛をたくさん持っているからこそ。

「柊くんも、私のそんなところを好きになってくれたのかなって……」

「そうかな。誰だって重いのはいやだと思うけどね」

「え？」

思いがけず、冷酷なひと言がかえってきて、絵里香はぴくりとまゆを動かした。

（……え。今、この人、なんて言った？）

初対面なのに、しかもナンパしてきたくせに。

こんな意地悪なことを言うなんて、わけがわからない。

と、そのときだった。

「あっ！」

絵里香は、人混みのなかに柊の姿をみつけて、パッと笑顔になり、立ちあがる。

「柊くん！」

やっと救いの手が差しのべられたような気分だった。

柊は、フードのついたカーキ色のジャケットにマフラーを巻き、グレンチェックのパンツをはいていた。

絵里香の妄想に登場した柊よりも、ずっとカジュアルな服装だ。

「柊くん！」

絵里香はうれしさのあまり、かけ寄ろうとする。

ところがその手首を、黒手袋をした男の手がつかんでひきとめた。

「な………なんですか！　もう彼が来たから――」

「きみは行くな」

（は!?　行くなって、何様のつもり!?）

いらついてまゆをつりあげ、絵里香は言いかえす。

「いいかげんにしてください！　これから私たち、デートなの。邪魔しないで！」

「ちがうだろ」

男はさらに強い力で絵里香の手をつかみ、そして言った。

「きみは、あの男を刺しころそうとしてる」

絵里香の顔から表情が消えた。

けれど、つぎの瞬間にはあきれ顔に変わる。

「…………はぁ？」

あまりに突拍子もないことを言われ、ついには笑いだしてしまった。

「あははっ。またホラーっぽい話ですかー？」

男はにこりともせず無表情だ。

「私がなんで彼氏をころすの？　意味わかんないんですけどー」

「彼氏じゃない。あの男はただのクラスメイトだ」

「あは…………は…………？」

「きみはあの男とつきあったことなんて、一度もない。ぜんぶきみの妄想」

そう言いはなつと、黒ずくめの男は立ちあがり、絵里香を見おろした。

「本物の彼女は、先週きみが刺しころしただろ」

男の瞳が、にぶく光る。

その射貫くような視線に負け、絵里香の目がおよいだ。

「…………なに？　なんですか、あなた」

本物の彼女は
先週 きみが
刺し殺しただろ
…何
何ですか…
あなた…
え…
何…
何で…

ふるえる声で言う。

「え、なに、なんで………」

(どうして知ってるの？)

男の言うとおりだった。

でも、どうしてこの男は知っているのだろう。

誰にも見られなかったはずなのに――――。

柊の〝本物の彼女〟は、ショートボブとくりくりした目もとが印象的な、鈴木美央だ。

明るくて活発な、硬式テニス部の女の子。

絵里香とは正反対の、さっぱりした性格の子だった。

その子を、あの日。

(――――私がころした)

このすぐ近くの路地で。

いっしょに下校したふたりのあとをつけ、美央がひとりになったところをおそったのだ。

ひと気のないことをたしかめると、絵里香は、カバンに入れていた包丁をとりだす。

そして、背後から美央に近づき、とびかかった。

『はぁはぁ………』

絵里香は息を荒らげて包丁を振りおろし、ゆがんだほほえみを浮かべる。

『私の邪魔しやがって！　あは…………ざまぁ！』

倒れた美央が、悲鳴をあげた。

『誰!?　痛い!!　お願い、やめて!!』

しかし絵里香はやめなかった。

美央に馬のりになり、包丁でめった刺しにする。

『あんたが悪いんだ！　私はまちがってない！』

『やめて！　だ、誰か！』

『あんたのつぎは、柊くんをやってやるよ！　私を拒否するならころしてやる！』

『や……やめて……』

やがて美央は動かなくなった。

『ふふ……あははは……』

立ちあがった絵里香は、みにくく笑いながら、地面を見おろした。

美央は、左腕を折りまげて倒れている。その先には、スマートフォンが転がっていた。

絵里香がとびかかったときに、美央の手から落ちたのだ。

ホーム画面の写真が見えた。

『なに、この写真』

柊と美央のツーショット写真だ。

制服を着たふたりは、ぴったりと寄りそってピースをしている。

しかも、美央は柊の腕に自分の腕をからませている。

『許せない。腕なんか組んじゃって』

絵里香はスマートフォンを拾い、まじまじと写真をみつめた。

『あとで美央の部分を消して、柊くんだけにしよっと。あはは……』

それを自分の制服のポケットにしまうと、絵里香はふらふらと歩きだした――。

駅前広場の時計は、午後八時三十五分をさしていた。

時間がたつにつれ、待ち合わせをしている人は、少しずつへっていった。

そんななか、黒ずくめの男と絵里香は、じりじりとむかいあっている。

「だからきみは、本物の彼女じゃないよね？」

絵里香の顔は、能面のようにかたまっていた。

「なんで知ってるの……」

絵里香はハンドバッグに手を差しいれ、ゆっくりとなにかをとりだす。

包丁だ。

男は動じることなく、おだやかに目を細める。

「きみはその日のことを覚えているよね？」

「……」

「他人をころしたことは覚えてるのに、肝心なことは忘れてるのか」

「え…………？」
ぱちぱちと瞬きをする絵里香に、男は自分のスマートフォンを差しだした。
そこには、掲示板サイトの投稿が表示されている。

駅前の殺人事件、「被害者、絶命する前に容疑者をうしろから殴打か」だって
容疑者っていうか、そいつはもう犯人決定だよね？
犯人も高校生らしいよ

掲示板サイトには、ふたりの女子高校生の顔写真と名前ものっていた。

被害者の女子高校生　鈴木美央
死亡した犯人　門脇絵里香

まぎれもなく、絵里香の写真だ。

誰かが、中学校の卒業アルバムの個人写真をのせたのだろう。

「死……亡……？」

絵里香はぼうぜんとして、男のスマートフォンをのぞきこんだ。

「私が……？」

まさか。でも、そういえば――。

（あ……れ……？）

じょじょに記憶がよみがえってくる。


『あんたのつぎは、柊くんをやってやるよ！　私を拒否するならころしてやる！』

そう言って、美央を刺したあと。

美央のスマートフォンを見て、怒りがわきあがって。

『あとで美央の部分を消して、柊くんだけにしよっと。あはは……』

スマートフォンをポケットに入れて、ふらふらと歩きだした。

（そういえば、あのとき、うしろで気配がしたような……）

そうだ。気配がして、振りかえった瞬間。

すぐうしろに美央がいて、ハンドボールくらいの大きさの石を両手で持ち、高く振りあげていた。

ゴンッ！

大きな音が聞こえたとたん、目の前が真っ暗になり――――。

絵里香は死んだのだ。

最後の力を振りしぼった美央に、石で頭をなぐられて。


「うそ……うそだ……」

絵里香は包丁をにぎりしめたまま、絶叫した。

「うそぉおっ!!」

青ざめた顔で、柊のもとへ走っていく。

「柊くん！　ねぇ、私ここだよ！　見えてるんでしょ？」

すがりついて叫ぶが、柊には見えてもいないし、聞こえてもいないようだ。

「変な男がいるの。助けて！」

柊は、手にしたスマートフォンを見たまま、顔をあげなかった。

絵里香を無視しつづけた。

「柊くん！　ねぇ――」

柊の手もとを見た絵里香は絶句した。

柊がじっとみつめているのは、彼と美央が寄りそってピースをしている、あの写真だったのだ。

絵里香はギリッと奥歯をかみしめた。

「なんで？」

表情の消えた顔でそう言いながら、包丁でドスッと柊の胸を刺す。

「なんで？　なんで？　なんで？」

しかし、絵里香もその包丁も、もはやこの世のものではない。

いくら刺しても、柊の体には傷ひとつつかないのだった。

「私のほうが絶対お似合いなのにさ！」

ザクッ、ザクッとめちゃくちゃに包丁で刺す。

「私のほうが好きなのにっ!!」

胸にも、腹にも、顔や頭にも。

けれど、柊はさびしそうに写真をみつめるばかりだった。

「これからまだ楽しいことたくさんあったのに!! 死んだらなにもできなくなっちゃうんだよ? ねえ、柊くん!!」

包丁で刺しても、こぶしでたたいても、なにをしても手ごたえがない。

絵里香はふたたび絶叫し、涙を流した。

「あぁあぁぁぁぁ!!」

絵里香をながめていた黒ずくめの男が、淡々と問いかける。

「あのさぁ。死んだって気づいたなら、そろそろ見えるんじゃない?」

絵里香は、絶叫したままの形で口をあんぐりと開け、包丁を持つ手をとめた。

「柱の横」

男にそう言われ、ゆっくりとビルのほうを振りかえる。

ビルの入り口、自動ドアの横に大きな柱がある。

その横に、ぼんやりとした煙のような黒い人かげが立っていた。

かげは、高校の制服を着た、ショートボブの女の子に見える。

「え………？」

人かげが両手をひろげた。

かげの黒い胴体が、上下にひっぱったように、にゅうっと細長くのびた。

「………まさか………美央？」

それはまさしく、美央の怨霊だった。

怨霊は一瞬のうちに移動し、気づけば絵里香の背中にとりついていた。

土気色の肌をして、白目をむき、恨みに満ちた、おそろしい形相で。

「ぎゃあああぁぁぁぁ!!」

絵里香が泣き叫ぶ。

「痛い！　はなして！　苦しいっ！」

しかし人かげは、両腕で絵里香の頭を抱きかかえるようにして、ようしゃなくうしろに

あのさぁ 死んだって気づいたならそろそろ見えるんじゃない？
柱の横

ひっぱった。

「やめて！　頭がつぶれる！　痛いよぉ!!」

絵里香の両目が血走った。苦しくて両手をばたばたさせる。

黒ずくめの男は、その様子を静かにながめていた。

「言っただろ」

絵里香の叫び声がだんだんと小さくなっていく。

「もう来てるって」

絵里香はぐったりし、両手をだらりと体の横に落とした。

やがて絵里香の姿も、美央の姿も、暗闇のなかに消えてしまった。


空からちらちらと雪が降ってきた。

男は上を見あげ、それから、遠くのベンチを見やる。

ベンチには、柊がひとりで座っている。

スマートフォンをみつめ、さびしそうにうつむいて。

するとその横に、ふわりとかげが現れた。

美央の霊だ。

けれど、もうさっきのような怨霊の姿ではない。

生きていたころと同じ、制服を着たかわいらしい姿で、柊のとなりに座っている。

ころされていなかったら、柊とあんなふうにクリスマスイブをすごせただろうに。

けれどもうそれは二度とかなわない。柊には、美央の霊が見えないのだ。


黒ずくめの男は、ふたつのカップを持って立ちあがった。

ひとつのカップのコーヒーは、少しもへっていない。絵里香はカップを持ち、飲んだつもりだったようだが、幽霊にはそれが一切できないからだ。

ゴミ箱にカップを両方捨て、男は駅前広場をあとにした。

時刻は午後八時四十分。

今日の仕事は、たった十五分で完了。そんなにむずかしくない仕事だった。

少し歩くと、イルミネーションがきらめくオフィス街の歩道にでた。

歩道の真ん中では、美しい女性が腕組みをして、男を待ちかまえていた。

「遅ーい。待ちくたびれた」

女はぷんぷん怒っていたかと思うと、あきれたようにほほえんだ。

「ま、かわいそうな魂をほうっておけないよね、楽は」

そう、黒ずくめの男は、秋元楽。高校三年生。

腕利きの霊媒師だ。

「やさしいもんね」

目もとのやさしげなこの女は、人間の姿を借りているが、中身は神さまだった。

楽が子どものころに出会って以来、ずっとこの姿のまま、楽につきまとっている。

楽にはある事情があって、この神さまにつくすことになっているのだが、それはまた別の話だ。

「ん♡」

と、女はにっこり笑って楽に手を差しだした。

「ほらー、エスコートして♡」

この神さまは、霊力は強いけれど、少々わがまま。いつも楽を振りまわす。

楽は返事もせず、もちろん女の手もとらず、思いきりまゆを寄せていやそうな顔をする。

女は、大人げなくすねた。

「えーっ！　クリスマスイブくらい、いいじゃなーい！」

「…………」

「ちょっと待ってよ～！　楽～っ！」

うっとうしそうにはなれていく楽を、女が追っていく。

傍目には、完璧な美男美女カップルに見えるのに、このコンビはいつでもこんな調子だ。

人混みのなかを、ふたりは歩く。

クリスマスイブの街はにぎやかだ。

家族づれや、友だちグループ、恋人たち。

幸せそうに歩く人々の上に、雪はひらひらと舞いおちていた。

おそーい
待ちくたびれた
ま
かわいそうな魂を放っておけないよね　楽は
優しいもんね
……
ん♡
エスコートして♡
えー
クリスマスくらい良いじゃなーい

エピローグ

百三十二時間目の授業は、これでおしまいです。
はなやかなクリスマスツリーの前で、少女が待っていたのは――。
なんと、これからころすつもりの男の子でした。
でも、有能な霊媒師と、恋人の愛のおかげで、彼の命は守られました。
まさに、クリスマスの奇跡……かもしれませんね。
大切な彼を守りきった彼女ですが、彼にはもう、彼女の姿は見えません。
となりにいることにも、気づいてもらえません。
それでも、聖なる夜にすごす時間は、とても幸せなことでしょう。
寄りそう彼女のぬくもりが、伝わっていることを願います。
さて、話は変わって。

今回登場したイケメン霊媒師さん、じつは過去の話にも登場しています。
恐怖の授業をまじめに受けているみなさんなら、きっとご存じですよね？
みなさんが望めば、またどこかで会えるかもしれませんよ。
彼のミステリアスな魅力を、ぜひ堪能してみてください。
それでは、次回の絶叫学級でお会いしましょう！

こんにちは
もうひとつの
絶叫学級へ
ようこそ
絶叫学級
課外授業「教室戦争」
RMC『絶叫学級 転生』⑲巻 授業83
今回紹介
するのは
ある小学校の
保健室で起こった
奇妙なお話
教室に居場所のない
その子は
保健室登校を
していました
その日も
いつものように
1人で寝ていると…

保健室に現れた不気味な影
ブツブツ
それはなぜか少女のあとを追いかけてくるようになりました…
少女はどうなってしまうのか
気になる方は『絶叫学級 転生』19巻をチェックしてみてくださいね♡

この作品は、集英社よりコミックスとして刊行された『絶叫学級　転生』4、7、9、16巻をもとに、ノベライズしたものです。

集英社みらい文庫

絶叫学級(ぜっきょうがっきゅう)
恋人(こいびと)たちの化(ば)けの皮(かわ) 編(へん)

いしかわえみ　原作・絵
はのまきみ　著

ファンレターのあて先
〒101-8050　東京都千代田区一ツ橋 2-5-10　集英社みらい文庫編集部
いただいたお便りは編集部から先生におわたしいたします。

2023年 2月 28日　第1刷発行

発行者　今井孝昭
発行所　株式会社 集英社
〒101-8050　東京都千代田区一ツ橋 2-5-10
電話　編集部 03-3230-6246
読者係 03-3230-6080
販売部 03-3230-6393（書店専用）
https://miraibunko.jp
装　丁　平松はるか（クリエイションハウス）　中島由佳理
印　刷　凸版印刷株式会社
製　本　凸版印刷株式会社

★この作品はフィクションです。実在の人物・団体・事件などにはいっさい関係ありません。
ISBN978-4-08-321770-8　C8293　N.D.C.913　198P　18cm

「りぼん」連載の
人気ホラー・コミックのノベライズ!!

いしかわえみ・原作/絵　はのまきみ（25より）／桑野和明（24まで）・著

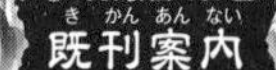

34 報復ゲームのはじまり編

6年2組の子どもたちが命がけの椅子とりゲームを強制される「DEATH GAME」ほか4話を収録！

35 パーティーのいけにえ編

さし絵ページ増！正体不明のゲストがパーティーをぶち壊す「ハロウィンホラーナイト」ほか2話を収録！

最新刊

36 恋人たちの化けの皮編

彼氏の家に招かれ、そこで予想だにできない家族を紹介される「オリの恋人」ほか4話を収録！

1 禁断の遊び 編
2 暗闇にひそむ大人たち 編
3 くずれゆく友情 編
4 ゆがんだ願い 編
5 ニセモノの親切 編
6 プレゼントの甘いワナ 編
7 いつわりの自分 編
8 ルール違反の罪と罰 編
9 終わりのない欲望 編
10 悪夢の花園 編
11 いじめの結末 編
12 家族のうらぎり 編
13 不幸を呼ぶ親友 編
14 死を招く都市伝説 編
15 呪われた初恋 編
16 満たされないココロ 編
17 笑顔の裏の本音 編
18 ナイモノねだりの報い 編
19 人気者の正体 編
20 いびつな恋愛 編
21 つきまとう黒い影 編
22 悪意にまみれた友だち 編
23 災いを生むウワサ 編
24 悪魔のいる教室 編
25 むきだしの願望 編
26 還り道のない旅 編
27 黄泉の誕生 編
28 むしばまれた家 編
29 繰りかえすコドモタチ 編
30 見えない侵入者 編
31 赤い断末魔 編
32 コンプレックスの奴隷 編
33 ウワサ話の黒幕 編
34 報復ゲームのはじまり 編
35 パーティーのいけにえ 編
36 恋人たちの化けの皮 編

絶叫学級
ぜっきょうがっきゅう
転生
てんせい
RMCりぼんマスコットコミックス

オリジナル新作！
七瀬くん家の3兄弟
恋愛禁止!? ヒミツの同居はじめました!!
青山そらら 絵
たしろみや 作
ドジだけどまっすぐな
仁奈が奮闘する
ドキドキ
同居ラブ♥コメディ！

登場人物

鈴森仁奈

中1。お父さんの仕事の都合で、七瀬家に居候することになって…!?

七瀬伊織

七瀬家の末っ子。仁奈と同じクラスの中1で、サッカーが得意。

七瀬飛鳥

七瀬家の次男の中2。いつもオシャレで、ダンスが得意！

七瀬春馬

七瀬家の長男で、名門高校の1年。おだやかな性格。

フウタ　オカメインコ

あらすじ

中1の仁奈は、お父さんの転勤の都合で、七瀬家に居候することに。七瀬家の3兄弟は、おだやかな春馬くん（高1）、フレンドリーな飛鳥くん（中2）、同学年のクールな伊織くん（中1）。でも、伊織くんとの出会いは最悪。「俺のこと、絶対好きになるなよ」と言われてしまい…!?

好評発売中!!

Story

美桜は空想好きでのんびりやの女の子。
ある日、運動会で、クラスメイトの
中村さんからニガテなリレーの
補欠選手に選ばれちゃった。
困っていたけど、間宮くんと
ひみつの特訓をすることに!!
中村さんは、みんなの種目を勝手に
決めたせいでクラスで仲間外れに……。
ほうっておけない美桜は……？

ふたりきりで
外で会うなんて、
ドキドキ止まらない!!

第1弾

『キミにはないしょ！ あて先ちがいの交換日記』も

絶賛発売中!!!!!

ボイスドラマも配信中!!

「みらい文庫」読者のみなさんへ

言葉を学ぶ、感性を磨く、創造力を育む……、読書は「人間力」を高めるために欠かせません。
たった一枚のページをめくる向こう側に、未知の世界、ドキドキのみらいが無限に広がっている。
これこそが「本」だけが持っているパワーです。

学校の朝の読書に、休み時間に、放課後に……。いつでも、どこでも、すぐに続きを読みたくなるような、魅力に溢れる本をたくさん揃えていきたい。読書がくれる、心がきらきらしたり胸がきゅんとする瞬間を体験してほしい、楽しんでほしい。みらいの日本、そして世界を担うみなさんが、やがて大人になった時、「読書の魅力を初めて知った本」「自分のおこづかいで初めて買った一冊」と思い出してくれるような作品を一所懸命、大切に創っていきたい。

そんないっぱいの想いを込めながら、作家の先生方と一緒に、私たちは素敵な本作りを続けていきます。「みらい文庫」は、無限の宇宙に浮かぶ星のように、夢をたたえ輝きながら、次々と新しく生まれ続けます。

本を持つ、その手の中に、ドキドキするみらい――。
本の宇宙から、自分だけの健やかな空想力を育て、〝みらいの星〟をたくさん見つけてください。
そして、大切なこと、大切な人をきちんと守る、強くて、やさしい大人になってくれることを心から願っています。

2011年　春

集英社みらい文庫編集部